TECS

Mary Hughes

Gwasg Gomer
1 9 8 7

Argraffiad cyntaf — 1987

© Mary Hughes, 1987

ISBN 0 86383 393 4

Dymuna'r cyhoeddwyr gydnabod cymorth a chyfarwyddyd Adrannau'r Cyngor Llyfrau Cymraeg a noddir gan Gyngor Celfyddydau Cymru.

Cyhoeddir dan gynllun comisiynu'r
Cyngor Llyfrau Cymraeg.

Argraffwyd gan J. D. Lewis a'i Feibion Cyf.,
Gwasg Gomer, Llandysul, Dyfed

Pennod 1

'Tecwyn, cod!'

'Y? Mm?'

Trodd ac ymestyn ei freichiau a'i goesau nes ei fod yn llond y gwely. Peth braf ac annifyr yr un pryd oedd deffro. Canol y gwely yn gynnes, gynnes, fel nyth cath, y traed a'r erchwyn yn oer, oer, a rhywle rhyngddo a'r pared nad oedd na chynnes nac oer. 'Roedd blas drwg yn ei geg a huwcyn wedi cremstio yng nghorneli ei lygaid. Tybed a oedd ei wynt yn drewi? Cododd ei ddwy law yn gwpan am ei geg a'i drwyn a chwythu allan.

'Ych a fi!'

'Tecwyn! Glywist ti fi? Cod!'

Well gwneud, mae'n siŵr. Wnâi o ddim byd ond breuddwydio yn ei wely, a mynd yn ddiog ac yn flin. Byddai ei fam yn hewian wedyn.

'Unrhyw beth er mwyn heddwch!' mwmialodd a throi ar ei golyn a rhoi ei goesau hirion dros yr erchwyn. Chwiliodd efo'i draed am ei slipars a chodi ei ddwy fraich i grafu ei ben. Braf oedd crafu! Crafu a chrafu nes byddai ei groen yn tincian. Gwelsai wartheg a cheffylau yn eu crafu eu hunain yn erbyn stanciau a physt llidiart, ac unwaith hen faedd mawr yn y sioe yn rhwbio a rhwbio fel petai i rythm, a golwg bell yn ei hen lygaid bach milain.

Rhedodd ei dafod ar hyd ei ddannedd. Oedd gwynt pawb yn drewi yn y bore, tybed?

Teimlodd yn euog wrth feddwl, unwaith eto, sut yr oedd Elfed ac Enid yn cysgu efo'i gilydd. Ei chwaer hŷn oedd Enid.

Byddai'n gas ganddo fo rannu 'stafell heb sôn am rannu gwely efo neb. 'Roedd hi'n braf wedi i Dei fynd i'r Coleg. Neb yn cerdded i mewn i'w 'stafell, yn mynd trwy'i bethau, yn busnesu!

'Roedd ei fam yn dda fel yna. Cyn belled â'i fod o'n cadw'i 'stafell yn daclus fe barchai ei awydd am le preifat.

Hwyrach petai o'n siarad mwy y byddai ei fam yn deall pethau eraill hefyd. 'Roedd hi ac Enid yn siarad digon beth bynnag, y ddwy yn y gegin uwchben y tebot yn holi ac yn stilio, yn rhoi eu llathen ar hwn a'r llall, ac yn trafod *pob dim* hefyd. Mi fyddai ei fam yn tewi pan fyddai o o gwmpas ond byddai Enid yn bwrw iddi'r un fath.

'Twt, Mam, ma'n rhaid i hwn ddallt sut le sy yn y byd 'ma hefyd. 'Rydach chi'n 'i arbed o ormod o lawer.'

'Tybed? Fo 'di'r 'fenga, 'sti. Babi'r teulu.'

'Hy! Tendiwch chi wneud gormod o fabi ohono fo!'

''Tydw i ddim isio cael f'arbed. 'Dach chi'n siarad fel taswn i'n *wahanol*.'

'O! ac mi glywist ti, do?'

Cochi a throi ar ei sawdl wnaeth o yn lle ateb, a soniodd neb ddim mwy am y peth.

Oedd o'n wahanol, tybed? Yn wahanol yng ngolwg ei fam? Allai o ddim cofio Enid yn blentyn ond 'roedd o'n cofio Dei ei frawd pan oedd o'n dal yn yr ysgol.

'Roedd o a Dei yn wahanol! Yn wahanol iawn, iawn.

Teimlai Tecwyn weithiau fod pobl yn ei drin fel petai'n 'od'. Ar adegau fe *deimlai* yn 'od' am ei fod o'n methu'n glir â bod yn union fel pawb arall. 'Roedd arno eisiau llonydd. Llonydd i grwydro, i ddarllen, i feddwl. I freuddwydio am gael ci defaid, am adael yr ysgol. Am ddod i 'nabod Gill Norris—neu Miss Evans Gêms.

Pe deuai rhywun i wybod am beth y meddyliai, beth a wnâi o tu mewn i'w ben, yn y gragen saff, breifat a alwai yn 'fi fy hun' byddai'n marw yn y fan!

'Tecwyn, go fflamia ti! Cod hogyn, wnei di.'

Ei fam eto, yn amlwg yn codi stêm erbyn hyn.

Ymysgydwodd a phliciodd ei byjamas oddi amdano'n sydyn, gan neidio i drôns a sanau glân, y crys glas golau a hoffai nesaf at ei groen, ei hen drowsus a'i hen siwmper lwyd. Bendigedig o braf! Hen ddillad cyfeillgar yn lle'r wisg ysgol wirion a'i fferau yn y golwg o dan y llodrau hyll.

Llodrau! Gair da! Yn cyfleu'r gwahaniaeth rhwng trowsus a rhywbeth annifyr, anhyfryd yr olwg.

Cyn iddo ddechrau pendroni a mwydro eto, rhedodd i lanhau ei ddannedd a chael 'slempan cath' o 'molchiad, ac i lawr y grisiau ag o, yn goeshir, llac, fel rhyw hen gi ifanc yn walpio.

'Wel o'r diwedd! Wyt ti'n fyddar, dwad?'

'Dwn 'im!'

Gwenodd yn ddengar ar ei fam, i'w lliniaru dipyn.

'Weithith hynna ddim, 'ngwas i!'

'Roedd ei fam yn ei ddeall yn rhy dda weithiau! Edrychodd hi arno'n awr a gwên yng nghil ei llygad. 'Roedd o wedi gor-dyfu, yn denau fel brân, yn freichiau ac yn goesau i gyd! Golau fel ei dad oedd ei bryd, ei lygaid yn fawr a'i amrannau fel rhai llo bach yn cyrlio ar yn ôl. Pe gwenai'n amlach byddai'n ddel—yn ddel fel merch, bron. Ond anaml y gwenai Tecwyn. 'Roedd o mor swil nes ei fod yn ymddangos yn surbwchlyd ar adegau. 'Roedd ei athrawes ddosbarth yn tynnu sylw at hynny bob tro y byddai yna gyfarfod rhieni yn yr ysgol. A byddai ei fam yn dod adref ac yn ei groesholi wedyn gan wneud y peth yn saith gwaeth. Byddai sylw tebyg ar bob adrodd-iad hefyd: 'Mae'n cilio rhag i neb gael ei helpu.' A hynny'n gwneud pethau'n fwy anodd, nid yn haws, a'i fam yn fwy busneslyd nag arfer.

Byddai Tecs yn *fwy* surbwch ar ôl pwl felly am y teimlai fod pawb yn edrych arno. Beth oedd o o fusnes i neb a oedd o'n gwenu neu beidio! Pam ddiawl na fyddai pobl yn edliw wrth famau'r giang smocio a'r hen genod coman yna oedd yn ei blagio o hyd! Na! 'roedd y rheini fel mêl yn wyneb yr athrawon.

Dew! 'roedd hi'n hawdd twyllo athrawon hefyd! Dei yn un da am hynny, yn ôl y sôn!

Piti na fedrai o fod yn wahanol, smalio bach ac ati.

Gwnaeth Tecwyn bowlaid o Weetabix iddo'i hun a mygiad mawr o goffi dŵr. Gwargrymodd dros y bwrdd.

''Stedda'n iawn, Tecs, rhag ofn i d'esgyrn di setio fel'na.'

'Wnân nhw ddim, siŵr!'

'Wyddost ti ddim. Tria feddwl sut wyt ti'n edrach weithia.'

'I be?'

'Dwn i ddim wir! I 'mhlesio i yn un peth! Sbia, 'rydw i isio i ti roi'r golchiad sy yn y peiriant yn y sychwr i mi, ma' hi'n rhy damp i roi dim byd ar y lein. Wedyn ma' isio i ti fynd i lawr i ordro glo.'

'Lle 'dach chi'n mynd, 'ta?'

''Rydw i isio mynd i'r dre. Ma' dy dad yn medru dŵad efo mi heddiw. 'Rydw i isio dewis carped newydd i'r rŵm ffrynt.'

'Pam? Be sy o'i le ar y 'stafell fel ma' hi?'

'O Tecwyn! Ma' hwnna wedi gweld 'i ddyddia gwell.

8

Wyddost ti fod yr hen garped yna wedi'ch magu chi'ch tri? Ma'n hen bryd i mi gael un newydd.'

''Dach chi'n mynd yn hen, Mam!' gwamalodd Tecwyn.

'Wel, y llarp i ti!' Ac anelodd ato'n chwareus efo'r cadach llestri.

Diolchodd Tecs mai chwareus oedd hi! Dyna un o'i gas bethau—hen gadach claear yn lapio am ei wddf ac yn strempian drosto i gyd! Hoff gosb ei fam oedd honna!

'Ma' isio i ti fynd i warchod i Enid heno. Mi ffoniodd cyn i ti godi.'

'O Mam, oes raid i mi?'

'Wel oes, siŵr, i bwy arall medr hi ofyn?'

'Chi.'

'Ma' dy dad a finna isio munud weithia hefyd. 'Rydan ni awydd mynd allan heno, anaml iawn byddwn ni'n mynd, yntê.'

'O—o,' ochneidiodd a chwynodd Tecwyn.

'Pam? Be sy gin ti yn erbyn mynd i warchod i Enid? Ma' Siôn bach a Hawys yn ddigon o ryfeddod. Hen blant bach pert ydyn nhw. Synnwn i ddim na fydd y rheina'n glyfar! Holi pob peth, ac yn siarad fel lli'r afon. Wyddost ti, 'roedd yr hen Hawys bach 'na yn siarad yn glir pan oedd hi'n un mis ar ddeg!'

'So wat!'

'Be? Be ddeudist ti?'

'So wat!'

'Paid ti â bod yn llanc! Ac i be ma' isio rhyw hen iaith fel'na?'

'Be sy o'i le rŵan eto? Fel'na ma' pawb yn siarad.'

'Hy! Saeson carbwl fydd y cwbl ohonach chi'r genhedlaeth nesa, ia wir! Bregliach rhyw fratiaith o hyd ac o hyd!'

''Rydach chi'n swnio'r un fath â Dei rŵan.'

'Ydw, mi 'rydw i. Ma' Dei yn llygad 'i le am hynna, beth bynnag.'

Ei fam oedd wedi rhoi ei safbwyntiau caled i Dei felly, meddyliodd Tecs. 'Doedd hi ddim yn hawdd dychmygu ei fam yn ifanc—yn berson unigol efo'i safbwyntiau'i hun. Bob tro y gwelai ei fam yn ei ddychymyg, yn y tŷ y byddai hi, yn y gegin, yn gwisgo brat! Oedd hynny'n deg, tybed?

'Ffonia Enid i ddeud yr ei di. Gofyn iddi pryd ma' isio i ti fynd.'

'Iawn.'

'Roedd hyn wedi difetha ei ddydd Sadwrn. 'Roedd wedi dyheu trwy'r wythnos am gael llonydd, cael darllen a gwylio'r teledu, ac os byddai'n braf ar ôl cinio 'roedd wedi bwriadu mynd i ben y Foel.

Byddai Tecs ar ben ei ddigon ar y Foel. Cerdded yn galed i fyny, nes clywai'r gwaed yn pwmpio yn ei glustiau a'i gorff i gyd yn tincian yn gynnes. Haul a gwynt ar ei war a migwyn meddal dan ei draed.Neb ar ei gyfyl, neb ond y bobl yn ei freuddwydion. Weithiau, yn ystod y gwyliau, byddai Dei'n dod i ben y Foel hefyd, ond byddai ar Dei eisiau siarad o hyd. Ac eto 'roedd rhywbeth yn braf yng nghwmni ei frawd mawr. Ar adegau felly ac ar ôl i Dei fynd yn ei ôl byddai Tecs yn poeni nad oedd ganddo'r un ffrind agos. Neb y gallai rannu ei feddyliau ag o. Neb y gallai ddweud ei freuddwydion wrtho. 'Roedd ganddo ddigon o gwmni, wrth gwrs. Yn yr ysgol 'roedd cyfoedion yn berwi ym mhob man a champ oedd cael eiliad o heddwch. Ond neb yn agos, neb yn arbennig.

Ar adegau fel hyn y dechreuodd feddwl am Gill Norris ac am Miss Evans. Tan yn ddiweddar ei unig a'i hoff freuddwyd oedd cael bod yn fugail ar ochr y Foel a'i gi call wrth ei sawdl, y ddau yn deall ei gilydd i'r dim a phawb wedi dotio at y ci a'i fedr o wrth ei drin.

Byddai'n dal i feddwl am y ci o bryd i'w gilydd, ond yn amlach, amlach yn ddiweddar fe'i câi ei hun yn dychmygu sgwrsio efo Gill Norris, y ddau ohonynt mor wahanol, y ddau'n unig, y ddau'n hoffi llyfrau. Felly y tybiai Tecs! 'Roedd hi'n hoffi cerdded hefyd; 'roedd hi wedi sgwennu yng nghylchgrawn yr ysgol cyn y 'Dolig, yn disgrifio mynd ar daith gerdded yn Ffrainc. Mae'n siŵr ei bod yn fendigedig cael cerdded mewn gwlad ddieithr, a'r tywydd yn braf. Buasai'n medru dweud yr hanes i gyd wrtho a'i gwallt melynfrown yn disgyn yn drwm dros ei hysgwyddau ac yn gorffwys ar ei bron. Ar ei bronnau! Gwridai Tecwyn wrth ei gael ei hun yn meddwl am ei bronnau. 'Roedd o wedi ei gwylio o hirbell ac wedi syllu cymaint arni yn yr ysgol nes bod ganddo bellach lun clir ohoni yn ei feddwl—ei choesau cryfion siapus, tro'i hysgwyddau a'r ffordd ddoniol y rhoddai hwb i'w sbectol ar ei thrwyn bach del bob hyn a hyn. A'i bronnau! Cywilyddiai Tecwyn nes byddai'n chwys euog i gyd, wrth sylweddoli eu bod yn rhan eglur o'r llun oedd ganddo yn ei feddwl.

Oedd o'n rhyfedd? Oedd yna rywbeth o'i le arno fo, tybed?

'Roedd ganddo rywbeth arall hefyd i gywilyddio amdano. Byddai'n gwylio llawer o ffilmiau'n hwyr yn y nos ar ôl i'w dad a'i fam fynd i'r gwely, a gwelsai bellach bob ffurf a siâp ar gorff ar y sgrîn fach. Gwelsai gyplau'n caru, a'u gwylio, yn chwys i gyd, yn gymysg o gywrein-rwydd a chywilydd.

Cofiai'n fyw iawn y tro cyntaf iddo wylio'n hwyr y nos a'r cyffro yn ei gorff yn ei ddychryn. Breuddwydio'n dan-baid wedyn a deffro yn y bore a'r gynfas yn glwt tamp.'Roedd bron â chrio wrth feddwl am ei fam yn gweld yr ôl arni wrth newid ei wely. Brysiodd i'w newid o ei hun cyn mynd i'r ysgol, a'i fam yn rhyfedd iawn yn dweud dim byd, dim ond edrych arno trwy gil ei llygad.

Teimlai fod rhywbeth aruthrol a rhyfedd wedi digwydd iddo ac aeth i'r ysgol yn teimlo bod pawb yn gwybod, y byddai yna ryw arwydd allanol yn datgan yn goeg: 'Mae Tecwyn yn ddyn'. Dychmygu'r chwerthin a'r tynnu coes budr fyddai yna wedyn. Gwnaeth hynny iddo grebachu fwyfwy i'w gragen saff a bu'n fwy surbwch a di-ddweud nag arfer am ddyddiau wedyn.

Bu'n syllu arno'i hun yn y drych ac yn ceisio dod i delerau â'i gorff. Ar un ystyr teimlai falchder. O leiaf, yr oedd yn normal. Yn wir, yr oedd wedi tyfu o flaen llawer un.

Casâi fynd i'r gampfa! Dyna lle byddai'r jarffod yn brolio am eu blew ac yn trafod pethau ddylai fod yn breifat, a'r bechgyn swil neu wylaidd, neu'r rhai bach o gorff, yn cilio mewn cywilydd.

Casâi Tecwyn ei flew! 'Roedd mor hyll, mor anifeil-aidd! Yn ei atgoffa o hyd nad plentyn oedd o bellach.

Nid ei fod yn anwybodus. 'Roedd ei rieni wedi magu dau o'i flaen ef ac fe allai siarad yn rhydd efo'r ddau, neu efo Enid ac Elfed, ei frawd-yng-nghyfraith, beth bynnag. 'Doedd Dei ddim mor hawdd. 'Roedd Tecs wedi darllen llawer hefyd, ac eto, er hyn i gyd, nid oedd yn barod am y newidiadau rhyfedd ac ofnadwy a'i gwnaeth yn ddieithryn iddo'i hun. Nid bod y peth yn fudr! 'Roedd Tecs wrth ei fodd efo anifeiliaid ac yn treulio llawer o'i amser ar fferm Pen-y-bryn. Ac yn yr ysgol yr oedd wrth ei fodd yn y gwersi Bywydeg. Pobl, neu'n hytrach hen blant gwirion, oedd yn gwneud yr holl fusnes yn llethol o annifyr! Neu, a dweud y gwir, fo'i hun oedd yn gwneud pob peth mor goblyn o gymhleth!

Pennod 2

Aeth ei fam a'i dad i'r dref a gadael Tecs i ofalu am y
dillad yn y peiriant ac i fynd i lawr i archebu'r glo. Clir-
iodd ei 'stafell hefyd a rhoi ei lyfrau i gyd yn rhesaid
drefnus. Ond gadawodd un llyfr ar y bwrdd bach wrth
ymyl ei wely. *Dance on my Grave,* gan Aidan Chambers
oedd hwnnw. 'Roedd Tecs newydd ddod o hyd iddo
yn y llyfrgell. 'Roedd yn meddwl hwyrach y byddai'n
ddiddorol iawn. Diddorol a rhyfedd. 'Doedd Tecs
ddim yn siŵr o'r llyfr yma o gwbl. 'Doedd o ddim wedi
darllen un dim fel hyn o'r blaen. 'Roedd o wedi ei
ysgrifennu mor wahanol, mewn tameidiau bach, nid
penodau fel mewn llyfrau arferol. 'Roedd yr hogyn yn
y llyfr wedi dwyn cwch ac wedi ei droi drosodd a mam
rhywun arall, rhyw Barry, wedi tynnu amdano yn
noeth borcyn a'i roi mewn bath poeth. Dyna lle gor-
ffennodd ddarllen neithiwr. Gwyddai Tecs yn union
sut y teimlai'r hogyn. Buasai o'n marw petai hyd yn
oed ei fam, heb sôn am ddynes gwbl ddieithr, yn ei
weld yn noeth. Byddai'n rhaid iddo orffen y llyfr petai
ond i gael gweld pa un ai Barry ynteu mam Barry oedd
yn mynd i droi allan yn rhyfedd.

Ar ôl clirio, penderfynodd fynd am dro, i glirio'i ben
ac i ystwytho'i goesau. Fyddai ganddo ddim digon o
amser i fynd i ben y Foel ond fe âi i'w golwg. Aeth ar
duth gyflym o'r tŷ a chlepian drws y ffrynt ar ei ôl,
clepian y giât hefyd nes bod ci drws nesaf, oedd yn
cysgu ar y pafin tu allan, yn neidio mewn dychryn.
Hen gi milain yr olwg oedd o hefyd, efo un llygad yn
oleuach na'r llall. Byddai Tecs yn bwriadu holi yn y

wers Bywydeg o hyd beth oedd yn peri i un llygad fod yn wahanol i'r llall. Anaml y gwelech chi anifail heb-law ci efo llygaid fel hyn.

Mwynhâi Tecs redeg a cherdded ac yr oedd ganddo ysgyfaint da; gallai ddal ati ar ôl i bawb arall golli eu gwynt. Gweithio yn Pen-y-bryn oedd wedi ei gryfhau meddai ei dad; cerdded a rhedeg ar y Foel meddai yntau!

Yn ddistaw bach fe hoffai Tecwyn fod yn rhedwr, ond y drwg oedd ei fod mor llwyr anobeithiol yn y gampfa ac ar y cae chwaraeon fel na feddyliai neb ofyn iddo a allai wneud unrhyw beth arall. Cofiai fel y cafodd Dei fynd i Awstria i sgïo efo'r ysgol, a dod adref mewn plaster at ei afl a'i fam yn tyngu na châi neb arall o'i theulu hi byth fynd yn agos i lethr sgïo. Mae'n siŵr mai go drwsgl fuasai Tecs beth bynnag. Ond buasai wedi hoffi cael hedfan mewn awyren a gweld gwlad ddieithr.

Ar y cae pêl-droed yr hyn a gasâi Tecs oedd y cecru. Ar y dechrau, yn yr ysgol gynradd ac yn y flwyddyn gyntaf byddai'n mynd ar y cae ac yn mwynhau'r rhedeg a'r cicio, ond ar ôl rhyw ddeng munud fe ddechreuai'r edliw a'r gweiddi, a rhai yn ei regi am fethu gôl. Torrai yntau ei galon a chwilio am esgus i fynd oddi ar y cae.

Fwy nag unwaith fel yr âi'n hŷn, fe gerddodd oddi ar y cae heb air o eglurhad wrth neb, a gorfod gwrando ar Sbeic, yr athro, yn paldaruo am hydoedd am y peth wedyn. Bellach 'roedd yn ddealladwy bod Tecwyn wedi 'ymddeol' o'r gemau a threuliai ei wersi chwar-aeon yn sefyllian o gwmpas yn rhynllyd ac yn dyheu am y gloch.

15

Wrth i Tecs droi i gyfeiriad y bont yr ochr uchaf i'r pentref sylwodd fod criw o fechgyn yn eistedd ar y canllaw yn malu awyr a chael smôc. Fyddai'r rhain byth yn meddwl cuddio i smocio. Dychmygai Tecs yr helynt a fyddai yna yn ei gartref o pe bai'n dechrau ysmygu. Ond wnâi o ddim.

'Roeddynt wedi gweld ffilm yn yr ysgol yn dangos drwgeffaith nicotin a methai Tecs ddeall sut na fyddai'r lluniau wedi codi pwys ac arswyd ar y rhai a smociai. 'Roedd o'n teimlo'n reit sâl ar ôl ei gweld beth bynnag. 'Roedd hyd yn oed wedi mentro dweud ei farn mewn trafodaeth wedyn a difaru iddo agor ei geg o gwbl. Amser egwyl 'roedd y giwed i gyd ar ei ôl, yn herian ac yn pwnio, a hyd yn oed yn poeri am ei ben wrth iddo fynd i lawr y grisiau.

'*Thicko! Wet!*'
'Babi mami!'
'Isio dymi!'
'Ofn!'
'Babi gachu!'
'Ffalsi—ffalsi—trio plesio'r staff!'
Pob ebwch fel pwniad. Pob gair gwawdlyd fel dyrnod, ac yntau fel llo, yn methu dweud na gwneud dim.

'Roedd rhai o'u geiriau yn dal i ddiasbedain yn ei ben. Ddaeth neb heibio i weld beth oedd yn mynd ymlaen y diwrnod hwnnw. 'Roedd Huws Maths wedi cerdded heibio gan gymryd arno fod yn fyddar!

'Roedd Tecs wedi rhedeg i roi ei ben o dan y tap i gael gwared ar y crach-boer, a theimlo bron â chyfogi wrth feddwl am beth felly yn un slafan yn ei wallt. Daethant ar ei ôl a dal ei ben o dan y dŵr nes oedd ei goler a'i dei a'i lewys yn wlyb domen.

Tecwyn gafodd y tafod ar ôl y gloch am edrych yn flêr ac yn wirion. 'Roedd arno eisiau crio llond ei fol neu gicio a malu rhywbeth, ond llwyddodd i'w reoli ei hun er ei fod wedi edrych fel bwbach trwy'r dydd, hyd yn oed yn y wers Gymraeg.

Gwasgodd a gwasgodd ei ddyrnau yn ei bocedi, a gwasgu a gwasgu ei ddannedd yn ei gilydd nes bod ei wyneb yn brifo.

Rhedeg yr holl ffordd adref, a theimlo'n well ar ôl cyrraedd y tŷ. Claddu'r cwbl wedyn, rhag i'w fam holi.

Wyddai Tecwyn ddim fel y byddai Jenkins, Cymraeg, yn darllen ei wyneb wrth iddo ddod i mewn trwy'r drws. Os byddai'r llygaid glas yn edrych yn syth arno, gwyddai y byddai Tecs mewn hwyl gweithio, ond os byddai cilwg yn duo'i wyneb i gyd, gwyddai mai gadael llonydd i Tecs fyddai ddoethaf y wers honno. Jenkins oedd un o'r bobl brin a gâi wên achlysurol gan Tecwyn, ond nid am ei ganmol! Gwrido ac edrych ar ei draed a wnâi wrth gael ei ganmol a byddai rhaid canmol yn ofalus ac yn gynnil. Gwyddai Jenkins hefyd am y plagio os câi ei ganmol yn gyhoeddus. 'Roedd yna un hen ewach bach cegog yn yr un set â Tecwyn a chafodd hwnnw fwy nag un bonclust gan Jenkins am biwsio Tecwyn. 'Roedd Jenkins wedi dal Tecs yn gwenu'n llechwraidd unwaith hefyd wrth weld y llall yn cael celpan! Profi 'i fod o'n normal! meddyliodd yr athro.

'Roedd Tecwyn wedi bwriadu rhedeg dros y bont a chanllath i fyny'r ffordd cyn troi yn ei ôl, ond pan welodd y giang smocio yn eistedd ar y bont trodd yn ei ôl. Rhy hwyr! 'Roeddynt wedi ei weld yn troi ar ei sawdl a dechreuasant hewian fel cathod ar ei ôl, a chwibanu a churo dwylo. Teimlai Tecs fel ffŵl. 'Roedd hewian ar ei ôl yn yr ysgol yn un peth, ond gartref ar ganol y pentref 'roedd arno gywilydd meddwl bod pobl yn gweld ac yn clywed ac yn sylweddoli cymaint o hen fabi oedd o mewn gwirionedd. Nid oedd erioed wedi yngan gair wrth ei fam am y peth, ond tybed a wyddai hi?

Ar ôl cyrraedd yn ôl i'r tŷ aeth i newid ei drowsus a'i esgidiau a tharo crib trwy'i wallt cyn cychwyn i ddal y bws i dŷ Enid. Ni thrafferthodd fwyta, dim ond mynd â gellygen yn ei law. Byddai Enid bob amser wedi gadael mwy na digon o fwyd ar ei gyfer pan fyddai'n gwarchod, a'r pechod mwyaf fyddai gadael dim ar ôl. Yn fwriadol, yr oedd Tecs wedi osgoi meddwl am y gwarchod. Buasai wedi gwneud unrhyw beth i gael osgoi mynd ac eto ni fedrai ddweud *pam* wrth neb. Y gwir reswm, yn ddyfn, ddyfn tu mewn iddo, oedd bod arno *OFN*.

'Roedd plant bach, yn arbennig hen rai bach bywiog, cegog fel Siôn a Hawys, yn codi arswyd ar Tecs. 'Roeddynt yn ei fodio ac yn ei holi, yn ei ddilyn i bob man, ac yn bla ar ei enaid! Lawer tro buasai wedi medru eu taro ond cywilyddiai gymaint oherwydd ei deimladau nes ei fod yn chwys i gyd. Plant ei chwaer ef ei hun, yn bictiwr o ddel ac yn hyfryd o fywiog, meddai pawb!

Ac yn hen dacla bach, meddai Tecs wrtho'i hun wrth ddynesu at dŷ Enid.

Pennod 3

'Ac mi ddoist! Tyd i mewn, tyn dy gôt!' 'Roedd Enid wedi agor y drws a'i gau ar ei sodlau mewn chwinciad. ''Rydan ni wedi cael cath bach a ma arna i ofn iddi fynd i'r lôn,' eglurodd wrth weld Tecs yn edrych yn hurt.

Carlamodd Siôn a Hawys i'r cyntedd a'r belen fach ddelaf o ffwr du a bìb gwyn ar ei brest yn eu dilyn a'i llinyn o gynffon bach yn syth bin i fyny. Plygodd Tecs at y gath gan anwybyddu'r ddau arall!

'Haia Tecs!' cyfarchodd Hawys ef yn fadam a hanner.

'Helô.'

'Deud rwbath wrth Siôn rhag iddo fo deimlo'i fod o'n cael ei adael allan,' meddai Enid yn slei, gan wneud i Tecs deimlo ei fod wedi cael cerydd, mewn ffordd bach neis. Un dda am lapio'r gyllell mewn melfed oedd Enid! 'Mi gân nhw aros ar eu traed tan wyth. Ma' 'na ddigon o fwyd yn y gegin i ti. Cofia di helpu dy hun a bwyta'n iawn. Chdi pia fo i gyd!'

''Doedd dim isio i ti drafferthu.'

'Twt! Rŵan, Hawys, gofala di fod Siôn yn cadw'i betha ac yn cymryd llwyaid o'r ffisig pinc cyn mynd i'w wely.'

'Iawn, Mam. Mi wna i fod yn hogan fawr. Mi wna i gofio deud pob peth wrth Tecs, sut ma' isio gwneud. Ti'n lecio'r gath, Tecs?'

'Ydw. Ma' hi'n un bach ddel iawn.'

'Roedd hi erbyn hyn yn hafflau Hawys ac yn canu grwndi dros y tŷ. Rhyfedd bod peth cyn lleied yn medru cynhyrchu'r fath sŵn! Llawer uwch na grwndi cath fawr, meddyliodd Tecs. 'Roedd o'n hoff iawn o anifeiliaid, yn aml yn teimlo eu bod yn haws delio â nhw na phobl.

'Wel, mi awn ni 'ta. Elfed! Ti'n barod? Ma' Tecs wedi cyrraedd!' gwaeddodd Enid i fyny'r grisiau.

'Helô, Tecs. Sut ma'i?'

Daeth Elfed i lawr, yn edrych yn smart, a safodd wrth draed y grisiau a rhoi ei fraich am Enid. Hoffai Tecs eu gweld efo'i gilydd, ac eto, weithiau, byddai'n dechrau dyfalu am eu perthynas. Sut beth yn union oedd bod yn ŵr ac yn wraig, tybed? Byddai'n cywilyddio wedyn ei fod wedi dyfalu, teimlo ei fod yn tresbasu. Gwenodd Enid a phlygu i gusanu Siôn a Hawys a'r rheini'n mrengian arni am funud cyn rhedeg yn ôl at eu teganau a'r gath.

'Hwyl, Tecs. Paid â gadael iddyn nhw gael gormod o'u ffordd 'u huna'n,' meddai Elfed.

'Hwyl! Mwynhewch chi'ch huna'n. Mi fyddwn ni'n iawn!' atebodd Tecs, yn swnio'n llawer glewach nag y teimlai!

Caeodd y drws ar eu holau a dilyn y plant i'r ystafell fyw lle'r oedd y ddau wrthi'n adeiladu rhywbeth dyrys yr olwg efo blociau Lego, a Siôn bob hyn a hyn yn gadael y blociau ac yn mynd â lori fach las am dro swnllyd rownd y soffa.

Eisteddai'r gath fach ar ymyl y soffa a'i llygaid glaswyrdd yn grwn hollol yn eu gwylio, ac yn y diwedd neidiodd yn gwbl ddirybudd i ganol y blociau a chreu cynnwrf mawr.

'Bendigeidfran! Paid!' gwaeddodd Hawys.

'Dyna be 'di 'i henw hi?'

'Ia. Enw dyn mawr, mawr mewn chwedl ydi o. Ddaru o orfedd ar draws yr afon a dyna'r dynion i gyd yn cael croesi i'r ochr arall dros ei gefn o!' eglurodd y fechan yn bwysig, a Siôn yn ychwanegu, rhag cael ei adael allan:

''Neud pont.'

'Ia, wn i,' atebodd Tecs. Gwyddai y dylai chwarae efo'r ddau neu ddweud stori, neu sgwrsio—neu rywbeth. Ond 'roedd yn gas ganddo feddwl am wneud dim. 'Roedd ei dafod a'i ddychymyg a'i aelodau fel petaent wedi eu clymu'n sownd! Bob tro y deuai i warchod byddai Hawys yn holi ac yn croesholi, ac yn ei gywiro!

'Dim fel'na ddaru fi gael y gêm yna yn 'rysgol.'

'Oedd Mam yn deud 'na *wedyn* ddaru hyn'na ddigwydd?'

'Pam wyt ti'n mynd yn goch i gyd, Tecs?'

Aeth Tecs i deimlo'n annifyr, a rhag iddynt sylwi, cerddodd trwodd i'r gegin. Pan welodd y pasteiod bach samwn mewn saws caws a'r salad del mewn powlen fach bren, y caws a'r creision, a'r bara brith a'r brechdanau selsig garlleg, teimlodd wanc mawr tua'i ganol!

Dim ond yn nhŷ Enid y byddai Tecs yn cael bwyd fel hyn. 'Roedd bwyd ei fam yn dda, ond bwyd 'hen-ffasiwn' oedd o. Tatws a moron a grefi neu sglodion a ffa pôb. Byddai Enid yn gadael iddo brofi pob mathau o bethau dieithr, diddorol—*Chilli con Carne, paella* ac ati, a Tecs yn mwynhau'r cwbl. Eisteddodd ar y stôl wrth y cownter a dechrau bwyta. Daeth Hawys a Siôn i mewn, y naill fel cysgod i'r llall, a sefyll yn ei wylio.

'Pam wyt ti'n gadael y caws ar ôl?'

'Mi gym'ra i gaws yn y munud.'

'Caws yn dda i ti, medda Mam.'

'Ydi o?'

'Ydi—gneud esgyrn a dannedd cryf, cryf i ti. Dangos dy ddannedd, Tecs,' gorchmynnodd Hawys yn sydyn.

'I be—a finna'n byta?' Sut goblyn oedd y ffordd iawn i drin plant, tybed?

''Rydan ni isio gweld!'

'Na.'

Teimlai ei hun yn mynd yn chwys i gyd a gwyddai ei fod yn gwrido eto.

'Tecs!' Siôn y tro hwn, yn ei gwrcwd wrth ymyl y stôl ac yn llygadu coesau Tecs.

'Be sy?'

'Gin ti flew ar dy goesa!'

Brysiodd Hawys at ei brawd bach i gael gweld y darganfyddiad rhyfeddol. Edrychodd a'i phen yn gam ac yna meddai:

'Gin Dad flew!'

'Oes?'

'Oes, siŵr iawn. Gin bobl fawr flew, medda Mam.'

'Ydi Tecs yn ddyn 'ta?' gofynnodd Siôn, yn ddiniwed i gyd.

Teimlodd Tecs Siôn yn gafael yng nghoes ei drowsus ac yn sbecian i fyny i gael gweld yn well. Cyn iddo sylweddoli beth oedd yn digwydd, 'roedd Hawys wedi neidio arno ac yn tynnu yn ei siwmper a phalfalu i lawr ffrynt ei grys.

'Be ti'n drio 'neud?'

'Isio gweld.'

'Gweld be?'

'Oes gin ti flew ar dy frest.'

Gafaelodd Tecs yn dynn yn ei llaw ac â'i law arall gwarchododd wddf ei grys.

'Paid â bod yn bowld, Hawys. 'Musnes i ydi be sy gin i dan 'y nghrys.'

'O Tecs, hen sboil-sbort!' Dechreuodd y ddau ei bwnio a hongian wrtho, a chododd Tecs yn sydyn i geisio cael gwared arnynt. Trawodd ei benelin yn erbyn ei fygiad coffi ac aeth hwnnw ar hyd y cownter, dros y bowlen salad ac yn strempiau brown dros ysgwyddau Siôn.

Dechreuodd hwnnw grio.

O'r nefoedd, dyma'i diwedd hi! meddyliodd Tecs.

'Gawn ni row pan ddaw Mam yn ôl,' cyhoeddodd Hawys. 'Arnat ti mae'r bai, Tecs. Ti wna'th i Siôn ni grio!' Aeth at ei brawd yn ffwdan i gyd a cheisio'i gysuro, fel mam fach, ond 'roedd hwnnw wedi blino ac yn cael rhyw foddhad rhyfedd o lefain dros y tŷ. Nadodd nerth esgyrn ei ben. I wneud pethau'n waeth, sathrodd Tecs gynffon y gath nes bod honno'n sgrechian fel petai ei diwedd yn ymyl ac yn sgrïalu o'r gegin.

'O, Tecs, hen gena brwnt! Sathru Bendi bach, O Bendi—Bendi, Bendi, tyd at Mami.'

Rhedodd Hawys i chwilio amdani a gadael Siôn a'i ddagrau'n llifo'n afonydd bob ochr i'w geg agored.

Methodd Tecs gael hyd i'r papur cegin a chymerodd y lliain llestri i sychu ei wyneb. Methai'n glir ei gael i dawelu.

Ddylwn i afael ynddo fo? Rhoi 'sgydwad iddo fo. Deud sori. Be ddiawl wna i? griddfanodd Tecs. Teimlai fel petai wedi fferru trwyddo. *Am gythraul o beth, gwarchod hen blant. Fi sy fel llo. Fydda hyn byth yn digwydd i neb arall!*

Ac yr oedd Madam Hawys wedi ei weld yn defnyddio'r lliain llestri. 'Roedd hi'n gweld popeth!

'W—w! Ddeuda i wrth Mam!' edliwiodd. 'Budur! Gei di row gin Mam, Tecs! Fasa Mam yn rhoi slap am sychu wyneb efo lliain llestri!'

'Paid â bod yn wirion.'

'Gei di weld! Brawd *bach* Mam wyt ti! Gei di slap hefyd!' llafarganodd gan wneud osgo dawnsio o'i flaen.

'Roedd hi'n mwynhau'r cyfan! Cyn iddo sylweddoli beth 'roedd yn ei wneud yr oedd wedi gafael ynddi a rhoi slap egr iddi ar draws ei phen-ôl.

Dyna floeddio a chrio wedyn! Yn ei chynddaredd cyrhaeddodd gic gas i Tecs. Fel cath wyllt, ymunodd Siôn yn y sgarmes a dyna lle'r oedd Tecs yng nghanol ei lanast yn y gegin a'r ddau fach yn nadu ac yn ei gicio a'i ddyrnu! Gwibiodd darlun o'r hyn oedd yn digwydd ar draws ei feddwl ac yr oedd ganddo gymaint o gywilydd nes ei fod yntau bron â chrio.

Beth pe deuai rhywrai yn yr ysgol i wybod?

Fedrai o ddim hyd yn oed warchod plant ei chwaer ei hun. Rêl llo! Dyna oedd o! Daliodd y ddau oddi wrtho a cheisio adfer rhyw fath o awdurdod.

'Ylwch, stopiwch! *SORI*. 'Toeddwn i ddim yn trio!' gwaeddodd. 'Dowch i helpu i glirio i Mam.'

Ond fynnai'r ddau ddim clywed. Dechreuodd Hawys ei b'ledu efo gweddill y bwyd ac yn ei arswyd rhedodd Tecs allan o'r gegin ac i'r cyntedd. Heb aros i feddwl, gafaelodd yn y ffôn.

Gobeithio'r nefoedd y byddai ei fam wedi cyrraedd adref. Pwysodd y botymau yn laddar o chwys a methai ddioddef wrth glywed y gloch yn canu'n hir y pen arall.

Llais ei fam o'r diwedd!

'Tecs, ti sy 'na? Be sy? Ydi popeth yn iawn?' holodd yn ffrwcslyd i gyd.

'Fedrwch chi a Dad ddŵad draw—plîs? Fedra i ddim trin y diawlad . . .'

'Tecs! rhag dy g'wilydd di! Fyddwn ni'n dau yna rŵan, gynta medran ni.' Ac i lawr â'r ffôn yn glep.

Safodd Tecs yn rhythu ar y teclyn yn ei law. 'Roedd Siôn a Hawys—a'r gath—wedi dod atynt eu hunain erbyn hyn, yn sylweddoli, mae'n siŵr, eu bod wedi achosi cryn ddrama. 'Roedd golwg hurt ar y gath, ac ôl crio mawr ar y ddau arall. 'Roedd Hawys wedi hel ei bysedd ar y wal wrth y drws yn y cyntedd.

'Ma' Nain a Taid yn dŵad. Fydd raid i chi fihafio rŵan.'

Gwyddai Tecs ei fod yn swnio'n fabïaidd.

'O, hwrê, hwrê! 'Tydan ni ddim yn lecio chdi, Tecs. Ddim byth, byth ar ôl heno,' cyhoeddodd Hawys, a Siôn yn nodio'i ben. Tynnodd Hawys ei thafod ar Tecs, ei wthio allan i'r pen i gyfleu ei hatgasedd!

Daeth rhyw ddiawledigrwydd i Tecs a gwnaeth yntau yr un fath yn ôl arni hi, a throi pâr o lygaid croes! Teimlodd yn well ar ôl gwneud, ond peidiodd pan welodd Siôn yn hel ato i gael ail bwl o grio.

*   *   *

'Roedd heddwch yn teyrnasu. Ei fam a'i dad ac Enid ac Elfed yn eistedd yn braf o flaen y teledu. Elfed ac Enid wedi mwynhau mynd allan i weld ffrindiau a'i fam a'i dad yn mwynhau rhyw newid bach. 'Roedd hyn yn wahanol i batrwm nos Sadwrn arferol. Hwyrach y dylent ddod at ei gilydd yn amlach ar nos Sadyrnau.

> *Y nefoedd a'm gwaredo!*
> *Peidiwch disgwyl i mi ddŵad.*
> *Plîs, plîs, os oes 'na Dduw,*
> *arbeda fi rhag gwarchod, byth eto.*
> *Byth bythoedd. Amen!*

crefodd Tecs tu mewn i'w ben.

Ddywedodd ei rieni fawr pan ddaethant i'w achub. Cymerodd ei dad y ddau fach yn ei hafflau. Ymolchi, swsian, a chysuro mawr, a'r ddau fel angylion i'w taid. Aeth ei fam ar ei hunion i'r gegin ac 'roedd wedi clirio'r cwbwl o ôl y gyflafan mewn chwinciad, a Tecs yn llercian fel rhyw hen gi yn methu gwybod beth i'w wneud na'i ddweud.

Llercian—gair da arall meddai, eto tu mewn i'w ben.

Hyd cynffon mochyn.

Pam meddwl am ddywediad fel 'na, tybed?

O ia, cofiodd, Jenkins oedd yn ceisio'u cael i gofio dywediadau da, cynhenid Gymraeg yn lle'u bod yn 'siarad Saesneg yn Gymraeg' o hyd. 'Roedd o wedi dilyn ei fam ar hyd y tŷ ryw hyd cynffon mochyn tu ôl iddi. Gwyddai ei fod yn gwneud hynny, gwyddai ei fod yn wirion! 'Roedd arno eisiau iddi hi holi, eisiau iddi hi fflamio. Pam 'roedd hi'n gadael iddo stiwio? Oedd hi'n credu bod hynny'n ffeindiach?

Damia las, tasai rhywun yn gofyn y cwestiwn iawn yn rhywle, rywdro, hwyrach y buasai o'n medru dechrau siarad. Dechrau egluro. Wrth egluro, deall? Tybed?

'Sym hôp.'

'Be ddeudist ti?'

'O, dim—dim, digwydd dŵad allan ddaru o.'

Teimlai'r gwrid yn lledu dros ei wallt. Gwelodd y pedwar arall yn edrych ar ei gilydd. Elfed siaradodd.

'Fuon nhw'n blagus iawn, Tecs?'

'Do, braidd. 'Mai i oedd o.'

'Paid â phoeni! Lecis inna ddim plant bach chwaith, nes i mi gael rhai fy hun!'

Chwarddodd y lleill. Gwelodd Tecs Enid yn gafael yn llaw Elfed ac yn gwenu. Rhyw wên sbesial. Gwên rhwng pobl yn deall ei gilydd. Braf! Peth fel yna oedd tyfu, aedd-

26

fedu, cael gwraig neu ŵr, bod mewn cariad? Teimlai Tecs fod yna gyfandir o bethau ymhell, bell o'i gyrraedd.

Allai o ddim dychmygu bod yn agos, agos at neb mewn gwirionedd. Oedd hynny'n golygu na châi o byth gariad, byth wraig? Hen lanc, yn byw gartref. Hurt! Yr un fath â'r hen lanc hwnnw fu farw yn ystod y gaeaf yng ngwaelod y pentref. Neb yn malio dim ei fod o wedi mynd. Dim ond chwech yn ei angladd o, meddan nhw. Fel tasai fo heb fyw erioed! Be oedd ei dad a'i fam ac Enid ac Elfed yn feddwl ohono fo, o ddifrif? Ei fod o rêl llo, debyg, yn rhy ddiniwed i wneud dim.

Ond 'doedd o ddim fel'na reit trwodd, reit tu mewn.

Ond be oedd iws byw y tu mewn i'w ben?

Allan yn yr haul yr oedd pobl yn byw!

Piti na fedrai ei droi ei hun tu chwithig allan!

27

Pennod 4

Eisteddai Tecs o dan y ffenest yn Ystafell 26 a'i benelin ar y ddesg a'i law dan ei ben, yn edrych allan. Bu wrthi'n gwylio pelydryn o haul yn chwarae ar ffenestri'r gampfa gyferbyn, a'i feddwl ymhell o'r wers.

'Tecwyn Jones—*have you an answer?* Deffrwch, hogyn, yn lle cysgu fel cath yn yr haul yn fan'na.'

Y floedd arferol gan Huws Maths, yn Saesneg, ac wedyn troi i'r Gymraeg i swnio'n sarhaus. Llusgodd Tecs ei hun yn ôl i'r wers. Wyddai o ar y ddaear beth oedd yr ateb. Nid oedd wedi clywed y cwestiwn chwaith. Wyddai o ddim ar y ddaear beth oedd cynnwys y wers. 'Roedd ar goll yn llwyr ers pythefnos a dweud y gwir. Byddai ei fam yn dwrdio eto ar ôl y noson rhieni, ac yn gweld bai arno am beidio â holi os nad oedd yn deall.

'Doedd ar Tecwyn ddim llawer o awydd deall mewn gwirionedd; 'roedd wedi rhoi'r gorau i geisio deall ers hydoedd—ers blynyddoedd yn wir.

Fel hyn y bu hi arno yn yr ysgol gynradd hefyd—cychwyn symiau newydd a gwneud ei orau i wrando; ei gysuro'i hun bod y rheini'n newydd i bawb ac y câi ddechrau yn yr un fan â phawb arall. Un dudalen lân, daclus, ambell un yn gywir; y dudalen nesaf, braidd yn flêr, dim un sym yn iawn! A dyna ddiwedd ar y rheini! Fel yna y bu efo ffigurau erioed. 'Roedd arno'u hofn! Wir yr, codent arswyd arno yn y nos, bu'n cael hunllefau am fyrddiynau o ffigurau yn martsio ar ei ôl, yn gwneud sŵn clecian plastig uchel, ac yntau yn y diwedd ar ei gwrcwd yn y gornel yn sgrechian. Allodd o erioed egluro, i'w rieni na Dei nac Enid, pam y byddai'n codi o'i wely gefn trymedd nos, yn sgrechian dros y tŷ.

'*Thicko!*' meddai rhywun o'r tu cefn iddo rŵan. Hy! dim byd yn newydd yn hyn chwaith! 'Doedd o ddim yn ddwl, o leiaf 'doedd o ddim dylach na phawb arall. 'Roedd pawb—bron—yn ddwl mewn rhyw ffordd.

Yn y gwersi Mathemateg âi'n chwys i gyd ac yn salach nag o'i hun. Ceisiai ddelio â'i ofn trwy ymwrthod â'r wers yn gyfan gwbl. Ei gau ei hun yn ei fyd bach tu mewn i'w ben!

Edrych allan trwy'r ffenest a wnâi yn yr ysgol gynradd . . . gallai ei gweld rŵan . . . ffenest fawr, uchel, hen-ffasiwn. Desg sgwarog hen-ffasiwn yng nghanol y llawr, cadair freichiau gron yr athro. Ar y chwith y cwpwrdd gwydr—ia, cwpwrdd gwydr fel mewn tŷ, a'i lond o lyfrau, a thrysorau'r ysgol.

'Roedd yno wy estrys! O ble daeth o, tybed? Oedd o yno o hyd?

'Roedd coeden ysgaw o'r tu allan i'r ffenest a'i changau meddal yn cael eu hysgwyd yn ôl ac ymlaen gan y gwynt. Ambell dro mewn storm haf byddai'n cael ei chwipio'n erbyn y gwydr, yntau'n dilyn y symudiad. Dail meddal, gwyrdd yn mynd 'slaes' 'slaes' yn erbyn y gwydr, yn chwyrnellu, fel pen rhyw greadur gorffwyll . . .

'Tecwyn Jones . . . *What* are *you doing? Have you got the answer?*'

Eto fyth! Na, wrth gwrs nad oedd ganddo ateb, ond beth wnâi—cyfaddef: 'Plîs syr, chlywis i mo'r cwestiwn!'

Nefoedd yr adar fe fyddai yna le wedyn! Pawb yn gorfod gwrando ar ribidirês o'i ffaeleddau a'r hen hogan yna tu ôl iddo yn piffian chwerthin, yn cicio'i ben-ôl dan y ddesg a hisian '*Thicko!*' dan ei gwynt. Anghynnes o beth oedd cael cicio'ch pen-ôl dan ddesg. Pen-ôl rhywun yn breifat iawn! Hel ei hen draed powld a phwnio, pwnio.

Tecwyn yn chwys i gyd!

Faint o bobl oedd yn gweld be oedd hi'n wneud, tybed?

Oedd pawb yn teimlo'r un fath am ei ben-ôl?

'Sori syr, wn i ddim,' atebodd o'r diwedd a'i lais yn mynd yn wich yn ei wddf tyn. Pam 'roedd ei lais o'n mynd yn wichlyd a gwneud iddo swnio fel cyw gŵydd bob tro y byddai'n ceisio ateb Huws?

'Doedd o ddim yn lecio'r dyn! Na, 'doedd o ddim yn 'nabod y dyn; sut gallai ei ddrwglecio? Hen un esgyrnog, barfog ac osgo bwysig arno. Hyderus hefyd, bob amser yn clochdar am ei glyfrwch ei hun. Stryffaglio am flyn-yddoedd y buo fo hefyd, yn ôl Elfed!

'Roedd yna lot o sens i'w gael gan Elfed. 'Roedd Tecs yn hoff o'i frawd-yng-nghyfraith. Buasai wedi hoffi treulio mwy o amser yn ei gwmni, ond bob tro yr âi yno, byddai Hawys a Siôn yn un pla. Teimlad rhyfedd oedd ei fod yn ewythr iddynt. 'Roedd y gair ewythr yn swnio mor hen, mor soled—mor sicr!

'Cyw melyn olaf!' meddai Jenkins yn y wers Gymraeg un diwrnod, a neb yn gwybod beth oedd hynny'n feddwl. Neb ond Tecwyn. Gwyddai Tecwyn yn union, gan mai dyna y galwai ei dad o. 'Doedd hi ddim yn hawdd egluro ond 'roedd Jenkins yn barod i wrando ac i annog y geiriau'n ara' deg bach, ac yn y diwedd llwyddodd Tecs i gynnig eglurhad purion. Fyddai ei lais byth yn gwneud triciau yn y wers Gymraeg. 'Roedd hi'n braf yno, yng nghanol y llyfrau, a'r posteri ar y pared a'u gwaith yn cael ei arddangos weithiau. 'Roedd arno flys mynd ati ryw ddiwrnod i 'sgrifennu stori hir, hir i Jenkins, yn bwrw'i fol i gyd; egluro sut greadur ydoedd. Cael y cyfle oedd y peth! Cael teitl fyddai'n gwahodd stori o'r fath.

Mae'n siŵr y byddai Jenkins yn deall. Ymddangosai i Tecs yn ddyn deallus, yn gwybod meddyliau a syniadau beirdd a llenorion, yn egluro dirgelion eu llenyddiaeth, yn gwneud i bethau ymddangos yn glir ac yn eglur. Byddai Jenkins yn byrlymu weithiau, yn anghofio'r wers ac yn carlamu ar ôl syniadau gan siarad yn onest â'r plant; dweud pob math o bethau wrthyn nhw. Gwneud i rywun deimlo'n agos ato fo.

Chwerthin y byddai rhai, wrth gwrs:

'O clywch! Off â ni eto! Jenkins ar ei geffyl!' gwawdient. Ond byddai Tecs wrth ei fodd, yn llygaid ac yn glustiau i gyd.

Byddai'r ysgol yn lle di-fai pe câi sbario mynd i ddim ond Cymraeg, Hanes, Bywydeg ac ambell wers Saesneg, hwyrach. Y trwbwl efo Saesneg oedd Dei. 'Roedd Tecs wedi digwydd sôn unwaith mor ddifyr oedd rhyw brosiect Saesneg, a Dei wedi gwylltio'n gacwn a gweiddi: 'Iaith estron! Paid ti â mynd yn hen fradwr bach!' Teimlai Tecs yn euog ar ôl hynny, bob tro y byddai'n mwynhau gwersi Saesneg. Dynes oedd yn eu dysgu. Saesnes go iawn oedd hi—Mrs Norris—mam Gill Norris o'r chweched dosbarth, ond 'roedd y ferch wedi dysgu Cymraeg pan oedd hi'n ieuengach. Welodd Tecs erioed mo Mr Norris, os oedd yna un. 'Roedd rhai'n dweud ei fod wedi cymryd y goes, wedi ei heglu hi'n ôl i Loegr ar ôl methu gwneud ei ffortiwn ar gefn y werin! Ond malais oedd hynny, hwyrach. 'Roedd Gill yn hogan iawn. Hanner addolai Tecs hi, o bell. Credai ei bod yn ddel iawn, er ei bod yn gwisgo sbectol. Fyddai Tecs byth yn siŵr pwy oedd yn ddel. 'Doedd hi ddim yn boblogaidd chwaith. 'Hen swot' oedd hi yn ôl pob tebyg, neu o leiaf 'roedd hi wedi gwneud yn dda hyd yn hyn.

Rhyfedd bod llwyddo yn gymaint o bechod hefyd, o gofio faint o hewian oedd ar bawb bob dydd i wneud ei orau. Smalio 'roedd rhai wrth gwrs, 'run fath â Dei pan oedd o yn yr ysgol. Llarp drwg, direidus oedd Dei yn ôl y sôn, ond gyda'r nos yn y tŷ, ymhell o olwg yr hogiau, byddai'n gwneud ei waith yn drylwyr.

Cyfrwys oedd peth felly, debyg!

Pam 'roedd o a Dei mor wahanol! Ac Enid o ran hynny! Yn ei wely ers talwm byddai Tecs yn dychmygu nad oedd o'n frawd go iawn, o waed coch cyfan, i Enid a Dei. Weithiau fe'i gwelai ei hun yn hogyn bach o'r *Home*; dro arall babi siawns i rywun, wedi ei adael ar stepan y drws! Nefoedd drugaredd! Beryg ei fod o'n mynd o'i go'! Dyna syniad erchyll!

Oedd pobl yn gwybod pan oeddan nhw yn mynd o'u co'? Pawb arall yn eu gweld yn lloerig a hwythau'n credu eu bod nhw'r pethau callaf dan haul!

Gwenodd Tecs.

Bloedd eto o gyfeiriad y bwrdd du.

'*How many have you done? Tecwyn . . . '* a hen bwyslais milain yn y llais. '*How many have* you *done?* Dowch â'r llyfr i mi i' weld.'

Dyna'i diwedd hi! Dim un oedd Tecs wedi'i gwneud!

Br . . . rr . . . rr . . . y gloch!

Diolch i'r mawredd, 'roedd cloch yn beth clên weithiau. Oedodd Tecwyn yn ddigon hir er mwyn i rai eraill fynd at Huws wrth y ddesg, ac yna cymerodd arno anghofio popeth, a rhoddodd ei lyfr yn ei fag yn llechwraidd.

Cafodd gic arall yn ei ben-ôl o dan y ddesg, a phrysur-odd i hel ei daclau at ei gilydd a diflannu o'r uffern hon am ddiwrnod arall.

Pennod 5

'Roedd haid o blant o bob oed ym mhen draw'r coridor yn darllen rhywbeth newydd ar yr hysbysfwrdd. Aeth Tecwyn draw i gael gweld.

PNAWN HEDDIW
YN LLE'R WERS OLAF (8)
CYFARFOD TAI
'STAFELLOEDD ARFEROL

'Roedd o'n boster digon blêr, yn amlwg wedi cael ei lunio ar frys gan rywun o'r Chweched.

Gan ei bod hi'n ddechrau haf dim ond un rheswm oedd yna dros gynnal Cyfarfod Tai—y diwrnod chwaraeon. Byddai'n braf cael eistedd yn yr haul yn gwylio'r neidio a'r taflu picell a'r rhedeg ac ati, a'r fan hufen iâ—fan Lei Loli—yn cael caniatâd arbennig gan y prifathro i ddod ar y cae ar ôl cinio.

Byddai rhai o'r athrawon, a phlant yn eu helpu, wedi codi stondin creision a diod oren i helpu i godi arian at rywbeth neu'i gilydd. Dim ond unwaith y cafodd Tecs helpu, i gario bocsys allan o'r stordy. Ofynnodd neb iddo helpu i werthu. Meddwl ei fod o'n rhy ddwl neu'n rhy ddiniwed, mae'n siŵr, ac yr oedd dipyn bach yn siomedig. *Gofyn* y byddai'r rhan fwyaf, wrth gwrs, ond ofynnai Tecs byth am ddim byd oni bai bod rhyw raid ofnadwy.

Pan ddaeth y wers olaf 'roedd yna hen stryffaglio, pawb ar draws ei gilydd a rhai'n smalio na wyddent ym mhle'r oedd eu tŷ yn ymgynnull, er bod yr ystafelloedd yr un rhai'n gyson er cyn co'! 'Doedd dim byth yn newid, y gair

34

mawr oedd 'traddodiad' a'r ateb i bob holi oedd: 'Fel hyn 'rydan ni wedi arfer.'

Yn y cefn yr hoffai Tecs fod mewn cyfarfodydd ond gan nad oedd yn ddigon digywilydd i wthio fe'i câi ei hun bron bob tro yn sefyll wrth y drws ac yn gorfod eistedd reit o dan drwyn yr athrawon a'r capteiniaid yn y diwedd. Teimlai'n rêl ffŵl bob tro mewn Cyfarfod Tŷ gan na fyddai arno byth eisiau gwirfoddoli i wneud dim. Hoffai fod yn Nhŷ Clegir gan mai Jenkins a Miss Evans oedd yr athrawon a fyddai'n gafael ynddi i arwain y gweithgareddau, a Gill Norris oedd capten y genethod eleni.

Bodlonodd Tecs i stelcian yn ei gornel yn gwylio'r dwylo'n mynd i fyny, Jenks yn gweiddi enwau'r gwahanol gampau a Miss Evans yn cyfri'r gwirfoddolwyr. 'Roedd Gill a'i phartner, bachgen bochgoch cryf o'r dref, na wyddai Tecs mo'i enw, yn brysur yn cofnodi'r enwau yn eu llyfr bach.

'Tecs, fedri di redeg?' Llais Jenks. Nid tynnu coes, fyddai Jenks byth yn gwneud hynny i Tecs.

Bu bron iddo neidio o'i ddillad! Fo? Rhedeg? Aeth yn chwys gwan. Teimlai'r gwrid yn llifo trwy'i wallt a thros ei glustiau.

''Rydw i wedi dy weld di'n carlamu ar y Foel yna, ac ma' dy goesa di'n ddigon hir!'

'Roedd gwên glên ar wyneb Jenks. Gan mai fo oedd wedi gofyn, 'roedd popeth yn iawn. 'Roedd Tecs yn hanner balch, a dweud y gwir. Hoffai redeg a buasai wedi hoffi cael ei gynnwys mewn rhywbeth yn yr ysgol lawer tro.

'Tecwyn. Rown ni di i lawr am y pedwar can metr a'r wyth gant. Iawn?'

Llais capten y bechgyn, llais clir, braf, y math o lais yr hoffai Tecwyn ei gael. Sut y gallai fod yn styfnig a gwrthod? Gwneud ffŷs i ddim byd. Dim ond nodio'i ben mewn cytundeb a dyna fo, drosodd. Aeth Jenkins ymlaen i'r eitem nesaf. Gwenodd Miss Evans arno a rhoi ei enw llawn 'Tecwyn Rhys Jones' i'r capten.

'Diolch, Tecwyn,' meddai Jenkins. 'Ymarfer bob dydd o hyn ymlaen, cofia.'

Nodiodd Tecwyn eto a chlywodd ambell bwffiad o chwerthin gwawdlyd o rywle tu cefn iddo. Clywsai Jenkins hefyd ac fel ergyd, meddai:

'Pan fyddi di, Hywel Ellis, wedi ennill pob ras neu wedi gwneud *unrhyw* beth *call* yn y lle yma, mi gei di ganiatâd arbennig i wawdio pobl eraill. Yn y cyfamser *cau dy geg,* wnei di?'

Ni throdd Tecs i edrych ond gallai weld yn ei ddychymyg hen wep Hyw Êl yn disgyn. Hyw Êl oedd un o benbandits y bedwaredd flwyddyn, yn trwsio'i blu a hel ei griw o'i gwmpas yn barod ar gyfer yr herio mawr yn y pumed. Peneliniai ei ffordd ar hyd y coridorau yn bygwth pethau erchyll ar blant bach, ac yn ffiaidd o fudr ei dafod. 'Roedd ar rai o'r athrawon ei ofn pan fyddent ar eu pennau eu hunain. Gwyddai Tecs na fyddai Miss Evans wedi mentro dweud dim wrtho rhag cael llond ceg amrwd yn ôl. Gwnâi bod yn agos at Hyw Êl i Tecs deimlo fel petai wedi bod yn turio mewn pwll mwd.

'Roedd hi wedi mynd braidd yn swnllyd yn yr ystafell erbyn hyn, a Jenks a Miss Evans wedi troi eu cefnau at y disgyblion ac yn frwd mewn trafodaeth efo Gill a'r capten arall. Byddai'n rhaid i Tecs ddod i wybod ei enw os oedd o i fod i redeg dros ei dŷ.

O leia', fe fyddai ganddo rywbeth i'w wneud yn lle sefyllian pan fyddai'r lleill yn chwarae criced. Fe gâi fynd i ymarfer rhedeg. Byddai'n rhaid iddo ddechrau ei amseru ei hun.

Byddai Sbeic yn cael tipyn o sioc ei weld o'n rhedeg! Fe wnâi ei orau glas. Mi ddangosai o iddyn nhw!

Canodd y gloch olaf a chododd pawb, rhoi'r cadeiriau a'u traed i fyny ar y byrddau'n barod i'r merched glanhau, ac yna allan yn drefnus ddigon a'r tafodau'n mynd bymtheg yn y dwsin.

'Roedd hwyl dda ar Tecwyn erbyn hyn, mor dda nes iddo wenu ar Jenks ar ei ffordd allan, ac ar Gill Norris!

'Iawn, Tecwyn? Mi gwelwn ni di ar y cae am un o'r gloch fory—i ni gael dechrau ymarfer,' meddai Jenkins, a rhoi hergwd gyfeillgar iddo ar ei ysgwydd.

Heglodd Tecs hi am adref, heglu er mwyn osgoi pawb, a chael llonydd i feddwl ac i freuddwydio am y rhedeg.

Fe gâi *freuddwydio* am ennill!

Pennod 6

Yn ei ben fe welai Tecs luniau clir, fel darnau o ffilm. Fo ar y Foel a'r gwynt yn ei wallt a'r haul ar ei war. Mot yn rhedeg wrth ei ochr a'r ddau yn rhydd, fendigedig, heb neb byw ond y nhw yn y byd i gyd.

Wedyn gwelai Mot yn hel y defaid, yn gwneud yn union yn ôl ei orchymyn.

Tipyn o gamp oedd gweithio ci! Teimlai falchder yn ufudd-dod Mot.

Mor braf oedd llwyddo!

Gwthiodd ei draed allan o waelod y gwely a gwenu ar ei fodiau hir, gwynion.

Llun arall wedyn. Fo ar gefn y tractor yn llyfnu'r caeau gwaelod, a'r gwaith yn cael ei wneud yn berffaith. 'Roedd o *yn medru* gwneud rhai pethau a'u gwneud yn iawn.

Hy! fedrai Huws Maths ddim gweithio ci, na llyfnu!

Wrth redeg ddiwrnod y chwaraeon byddai'n dangos iddyn nhw i gyd! *Gewch chi ail y diawlad! Dim llo ydw i!*

Gwelodd mewn fflach gae'r ysgol ddiwrnod y ras a phawb yn barod.

Clec y gwn! I ffwrdd â nhw! 'Roedd y llun mor fyw fel y teimlai ei ysgyfaint yn lledu a'i goesau'n pwmpio. 'Roedd yn chwysu hyd yn oed!

'Tydw i'n rêl llo! I be ma' isio cynhyrfu am ryw dipyn bach o redeg?

'Roedd Mam 'run fath â hen iâr ori pan ddeudis i wrthi hi neithiwr! Gwenu a deud dim ddaru Dad!

Ew! 'rydw i'n falch! Wir yr! Mi fydda'n well gin i gael fy mhoenydio na chyfadda ar goedd ond 'rydw i'n falch, falch!

Teimlo 'mod i wedi tyfu; wedi dŵad 'run fath â phawb arall yn fwya' sydyn. Peth ofnadwy ydi bod yn hòples—neb isio i chi 'neud dim byd, byth. Hen betha cas yn cael 'u deud—ddim yn uchel—ond ddigon amlwg i mi w'bod be oedd yn digwydd. Ew! 'rydw i'n teimlo 'mod i'n perthyn *rŵan, yn lle hofran ar y cyrion yn rhythu ar bobl er'ill yn gneud petha.*

Taswn i'n byta'n ofalus—digon o faeth a digon o fwyd i roi egni i mi ac yn gofalu'n iawn am fy iechyd—a chysgu'n iawn—a rhedeg, wrth reswm, mi allwn i 'neud yn iawn!

Be taswn i'n ennill?

Hy! Iesgob mi fasan nhw wedi synnu. Mi fasa Jenks a Miss Evans wrth 'u bodd. Ew! Leciwn i 'neud yn iawn i'w plesio nhw. Maen nhw'n iawn; yn glên efo fi. 'Nhrin i fel taswn i'n gall!

Ella basa Gill yn sylweddoli 'mod i'n fyw wedyn hefyd. Wn i yn byd be 'di enw capten yr hogia! Rhaid i mi ffendio allan. Gofyn 'te! Hy! mi fasan yn chwerthin am 'y mhen i taswn i'n gofyn. Wedi bod yn 'rysgol efo fo am flynyddoedd a ddim yn gw'bod 'i enw fo!

Mi fedrwn *i newid! Magu hyder! Medru sbio ym myw llygad Huws Maths! Sym hôp!*

Mi reda i bob nos rŵan a 'marfer yn 'rysgol amser cinio ac amser chwaraeon. Mi a' i i Ben-y-bryn heno yn syth ar ôl te—rhedeg yno ac yn ôl.

Mi fydd isio mynd i olwg y gwartheg a symud y defaid i fyny at y tŷ. Mi gynigia i 'neud hynny.

Llyfnu fydd ar dro, mae'n siŵr. Liciwn i fynd ar y tractor ond mi fydda'n wâst rŵan—dim ond ista ar fy nhin yn mynd rownd a rownd.

*   *   *

Yn ei wely 'roedd Tecs, yn siarad ag o ei hun tu mewn i'w ben. Gorweddai ar ei hyd a'i freichiau tu ôl i'w ben

39

a golwg bell, bell ar ei wyneb. 'Roedd o wedi gwirioni ei fod yn cael rhedeg dros ei dŷ; go brin bod y chwaraeon yn mynd i olygu mwy i unrhyw un nac i Tecs eleni. Hwn oedd ei gyfle cyntaf i gael ei arddel yn yr ysgol fel rhywun a fedrai wneud rhywbeth, ac nid fel llipryn od!

*   *   *

'Da iawn, Tecwyn.'
'Grêt, Tecs. Munud cyfa' ynghynt na ddoe!'
'Wir?'
'Wir yr.'
'Ew, go dda.'
'Miss—Miss Evans, welsoch chi Tecs yn rhedeg rŵan?'
'Naddo. Sut ma'r ymarfer yn siapio, Tecwyn?'
'Iawn, Miss.'
'O, mae o'n *dda,* Miss!'
'Ac yn bishyn yn 'i shorts, Miss!'
'Reit, gadwch i'r hogyn gael gorffwys. Pum munud sy' 'na tan y gloch. Peidiwch â gorymarfer, Tecwyn.'
'Argol ia, cofia fod y Tŷ i gyd yn dibynnu arnat ti, Tecs.'
Nefi! Am gyfrifoldeb! 'Chydig bach yn ôl 'rôn i'n ormod o lo i'r un o'r rhain ddod yn agos ata i!

*   *   *

'Ei di ddim i Ben-y-bryn heno eto, Tecs?'
'Af—'dw i wedi *addo.*'
'Be am dy waith ysgol di? 'Sgin ti waith cartra?'
'Na—wel, oes, ond mi gwna i o ar ôl dŵad adra.'
'Wyt ti'n siŵr? A be ydi'r holl 'marfer 'ma? Fyddi di rywfaint gwell, wyt ti'n meddwl?'
'Bydda, Mam! Bydda—mi *fydda* i'n well. Ma' raid magu "stamina" medda Sbeic, nerth i ddal ati.'

'Wel, chdi ŵyr dy betha! Ma' dy goesa di'n ddigon hirion beth bynnag. Mi ddyliat fedru walpio heibio iddyn nhw i gyd.'

'O, 'dach chi ddim yn dallt, nac 'dach?'

'Nac ydw i? Yli, 'rydw i'n cofio Dei yn gwirioni efo rhyw betha dragwyddol hefyd. 'Steddfod, drama a'r siarad cyhoeddus a'r cwis llyfra! Dyna fydda petha hwnnw! Mwydro 'mhen i'n lân—a rŵan dyma chditha'n dechrau, efo rhyw hen redag o bob dim!'

Ma' hi'n falch yn ddistaw bach.

Fel 'na bydd hi'n siarad pan fydd hi'n falch.

Braf teimlo 'mod i o'r diwedd rywbeth yn debyg i Dei!

Ella ei bod hi'n siomedig ofnadwy yn 'i chyw melyn ola'.

'Fasach chi'n synnu taswn i'n gneud yn dda yn y rasys, Mam?'

'Synnu! Wn i ddim. Mi faswn yn *falch,* siŵr, os ydi o'n golygu cymaint i ti.'

'Ydi, mae o.'

'Dyna ti 'ta. Gwna di dy ora ac mi gaiff pawb 'i blesio. Fedar neb neud mwy na'i ora, 'sti.'

41

Pennod 7

Diwrnod heulog, gwyntog ym mis Ebrill, diwrnod y Chwaraeon wedi gwawrio! Byddai'n oer ar gae'r ysgol ond yn ddiwrnod iach, braf i'r rhai oedd yn cystadlu. Edrychai Tecwyn ymlaen fel plentyn bach ar Noswyl Nadolig. Nid oedd wedi cysgu llawer ac yr oedd wrth ei ffenest yn gwylio'r haul yn codi. Bysedd araf o binc yn codi ac yn ymledu nes oedd yr awyr tua'r Dwyrain yn un sbloet o liw gogoneddus. 'Roedd mor hardd nes gwneud iddo ddal ei wynt a theimlo bron yn drist am funud, heb wybod pam.

Peth fel yna oedd 'eiliad tragwyddol', tybed?

Byddai Tecwyn yn meddwl llawer am bethau felly, ac am berthynas dyn a natur. Pan fyddai allan ar y Foel ymhell oddi wrth bobl a'u cymhlethdodau teimlai'n gwbl rydd a bodlon, ac yn falch o fod yn fyw.

Aeth i ymolchi'n dawel rhag tarfu ar ei rieni, gwisgo'i ddillad chwaraeon, ac i lawr i'r gegin i ferwi'r tegell a gosod y bwrdd i'w fam. 'Roedd hi'n rhyfedd mor dawel oedd pobman, ar wahân i gerbyd ambell ŵr a âi i'w waith yn gynnar.

'Roedd ei stumog yn un clap a'i deimladau'n hofran rhwng ofn ac awydd. Gobeithiai nad oedd neb yn disgwyl gormod. Byddai'n siŵr o wneud ei orau ond dyn a ŵyr a fyddai hynny'n ddigon da. Lawer gwaith dychmygasai'r diwedd, a'r banllefau, ond methai gredu y gallai ef wneud dim byd arbennig. Toc, cododd ei rieni a chwerthin am ei ben wedi codi mor fore.

'Sebastian Coe yn methu cysgu?' heriodd ei dad.

Gwyddai Tecs y byddai rhaid iddo ymdrechu i fwyta

brecwast iawn er mwyn iddo gael nerth, ond tipyn o ymdrech oedd gwthio'r bwyd i lawr. 'Roedd wedi hel ei fag yn barod ers y noson cynt a chychwynnodd yn gynnar gan hanner rhedeg a hanner cerdded. Fyddai'r ffyliaid gwirioneddol ddim yn yr ysgol heddiw, felly fe deimlai'n saffach ac yn fwy hyderus. 'Roedd ganddo waith i'w wneud, beth bynnag, a rhoddai hynny deimlad o bwrpas iddo. Gwyddai fod tŷ Clegir i fod i gyfarfod yn ystafell Jenks ben bore ac anelodd yn syth yno am ei gyfarwydd-iadau ac am anogaeth. 'Roedd Jenkins a Miss Evans yno'n barod yn ogystal â Gill Norris a chapten y bechgyn—Ian Thomas.

Cafodd Tecs ei gyfarch yn glên iawn gan y pedwar, gan wneud iddo deimlo'n braf, yn gynnes tu mewn. Braf oedd cael ei dderbyn, teimlo'i fod yn perthyn ac yn gallu *gwneud* rhywbeth. Fyddai dim rhaid iddo lercian a chicio'i sodlau heddiw, rhyw hen stwyrian o un peth i'r llall a malu awyr.

Am ei fod yn cystadlu ei hun 'roedd ganddo, am y tro cyntaf erioed, ddiddordeb ym mhob un o'r cystadlaethau ac yn safleoedd y tai. Dim ond unwaith y cofiai Clegir yn ennill ond yn ôl Gill ac Ian 'roedd ganddynt obaith o ddod yn ail os nad yn gyntaf eleni. Mwy fyth o reswm dros wneud ei orau. Ond yr arswyd! Be pe gwnâi stomp llwyr o bethau!

'Be wnaech chi i mi, syr?'

'Be wnawn i be, Tecwyn?'

'Taswn i'n gneud llanast o betha?'

'Hanner dy ladd di, siŵr,' gwamalodd Jenks.

'Wnei di ddim, siŵr. 'Rwyt ti'n *dda,*' anogodd Gill gan brysuro ato a ffysian o'i gwmpas fel mam. 'Wyt ti'n nerfus?'

43

'Dipyn.'

'Tria anghofio am y ras nes bydd hi jest yn amser cychwyn. Mi fyddi di'n iawn, gei di weld.'

'Welis i chdi'n 'marfer ddoe, Tecs. Da! Da iawn hefyd!' Ian oedd hwn. Yna Jenkins eto.

'Ydi *ma'* Tecs yn *medru* rhedeg. Biti na fydden ni wedi cael gafael arnat ti cyn hyn—ond 'tydi hi byth yn rhy hwyr!'

'Tria fwynhau y ras—dyna fydda i yn *drio* 'neud.' meddai Gill eto.

'Ia, mi *dria* i,' addawodd Tecs, wedi gwirioni braidd o gael sylw ei dduwies i gyd iddo'i hun. Rhyfeddai ei bod mor hawdd siarad efo hi. Peth mwya' naturiol yn y byd!

Canodd cloch ymgynnull y bore ac aeth pawb i gofrestru ac i'r Neuadd. Byr oedd y gwasanaeth ac ar thema addas sef 'gwneud ein gorau'. Ond câi Tecs drafferth i ganolbwyntio ar y weddi a'r darlleniad ac nid agorodd ei big i ganu'r un sill o'r emyn. Allai o ddim trystio'i lais. 'Roedd o'n rhy nerfus.

Trefn y dydd oedd bod pawb i fynd i'r wers gyntaf ac yna allan ar y cae, y cystadleuwyr yn gyntaf ac yna weddill yr ysgol, fesul dosbarth. 'Roedd rhyw deimlad o lawenydd a chleniwch trwy'r ysgol i gyd, a'r gwynt erbyn hyn wedi gostegu'n ddim ond awel, a'r haul o'r herwydd i'w deimlo'n gynhesach.

Cerddai rhai yn heidiau o gwmpas y cae; sefylliai eraill, ac 'roedd ambell griw wedi eu gosod eu hunain a'u cefnau yn erbyn y wal gerrig ym mhen ucha'r cae, yn wynebu'r haul ac yn edrych fel cathod bodlon. 'Roedd rhai wedi cofio dod â sgarffiau lliwiau eu tai gyda nhw i'w chwifio bob tro y cyhoeddid marciau neu ganlyniadau. Casglodd criw o fechgyn a merched ei dŷ o gwmpas

Tecwyn, ac yntau, am y tro cyntaf yn ei oes fer, yn mwyn-hau sylw. 'Roedd ei wên ddel yn llydan ar draws ei wyneb a'i lygaid gleision yn ymddangos yn fawr, fawr.

Toc daeth yn amser y ras. Teimlai Tecs ei geg cyn syched â nyth cath, ond 'roedd cledrau ei ddwylo yn chwys oer. Tyrrai'r bechgyn o'i ddosbarth o'i gwmpas a Jenks yn rhyw ganlyn o hirbell ac yn ei wylio'n graff. Gwyddai fod Tecs bron â gwneud yn ei drowsus a gwyddai mai gwell fyddai iddo beidio â dweud gair. Rhoddodd nod, gwên a winc ar Tecs a hanner-gwenodd Tecs yn nerfus i ddangos ei werthfawrogiad. Pan oedd bron ar y llinell gychwyn daeth Elin yn dawel bach o'r cefn a rhoi ei llaw yn slei yn ei law am eiliad. Collodd ei galon un curiad! Teimlodd yn gynnes, gynnes, ac yn gwbl siŵr fod *pawb* ar y cae wedi ei gweld. Methai gael yr un gair allan.

'Hwyl i ti! Rheda dy ora—mi fydda i'n gweiddi drosot ti!'

'Diolch . . . Ia . . . O.K.'

Ew! Aeth at y llinell a'i osod ei hun yn y rhes, yn teimlo'n heglog ac afrosgo. Clec y gwn ac i ffwrdd â nhw! Gynted ag y teimlodd Tecs y ddaear galed o dan ei wadnau wrth i'w goesau hirion ymestyn yn gamau mawr cyflym, ciliodd pob chwithdod. Teimlai'r gwynt yn erbyn ei wyneb a llyncai gegeidiau o wynt oer braf. 'Roedd ei gorff yn gweithio'n berffaith, pob cyhyr mewn cytgord ac yntau wrth ei fodd.

Doedd dim y fath beth â swildod, ac yntau'n rhedeg fel hyn. 'Roedd yn hanner ymwybodol ei fod ar y blaen, ond gallai glywed drymiau'r traed yn pydru dod y tu ôl iddo ac o rywle yn bell clywai floeddiadau cynhyrfus, ond wyddai o ar y ddaear beth oedd neb yn ei weiddi, na pha mor eithriadol o gryf a chyflym y rhedai.

Yna, y tâp, a'r cwbl drosodd! Un ras arall i ddod, ond edrychai ymlaen at honno.

* * *

'Hwrê!'

'Hip-hip—'

'Hwrê -ê - ê -'

'Hip-hip—HWR-Ê-Ê-Ê-'

Banllefau a bloeddiadau, a phlant yn neidio ac yn sboncio mewn llawenydd! Plant tŷ Clegir!

Jenks a Miss Evans fel taen nhw wedi ennill ffortiwn, a Gill ac Ian Thomas yn sefyll i fyny ar y platfform wrth ymyl y corn siarad, i dderbyn y cwpan anferth, a rubanau coch yn cwhwfan wrth ei glustiau.

Ac arwr y dydd? Tecwyn!

Teimlai bron â byrstio! 'Roedd arno eisiau rhedeg, bwrw'i din dros ei ben, gweiddi! Eisiau chwerthin—eisiau crio.

Dim ond gwenu *wnaeth* o, o glust i glust. A gwrido hyd at ei war.

'Roedd wedi ennill ei ddwy ras! Nid yn unig wedi ennill ond wedi torri un record!

'Roedd ei deimladau'n mynd a dod fel tonnau môr. Ail-fyw'r ymdrechu caled, ailglywed y gweiddi byddarol fel y dynesai at y llinell derfyn. Aildeimlo Gill yn gafael yn dynn amdano a rhoi clamp o gusan iddo—ar ei foch chwith! Gallai ei theimlo yno o hyd! Bob hyn a hyn codai ei law yn llechwraidd i anwylo'i foch. Chafodd o *erioed* gusan o'r blaen, dim un go iawn, gan ferch. 'Doedd rhai ei fam ddim yn cyfri! 'Roedd o wedi mynd yn rhy fawr beth bynnag i hel moethau gan ei fam.

'Roedd wedi ymlâdd ar ôl yr ymdrech, a theimlai'n oer, er ei fod wedi lapio'n gynnes ar ôl y ras olaf.

Dyheai Tecs am gael y cwbl drosodd rŵan, iddo gael rhedeg adref i fod ar ei ben ei hun efo'i feddyliau a'i deimladau. Ac eto 'roedd hi'n braf yma ar y cae efo pawb o'i gwmpas, yr haul yn tywynnu a'r diwrnod yn berffaith . . .

'Codwch o, hogia!'

'I fyny â fo!'

Cyn i Tecs gael amser i sylweddoli 'roedd giang o hogiau tŷ Clegir wedi gafael ynddo a'i godi ar eu hysgwyddau a chan lafarganu 'Tec-wyn! Tec-wyn!' cariasant ef o gwmpas y cae gan hel criw mawr o'u hôl wrth fynd.

'Roedd o'n falch, ac eto daeth yr hen swildod chwithig yn ei ôl i gyd nes bron â'i lethu. Ymdrechodd i wenu ond yr oedd bron â chrio dan deimlad.

*   *   *

'Wel, 'ngwas gwyn i!'

Gwyddai ei fam ar ei wyneb pan ddaeth i'r tŷ ei fod wedi ei blesio'n arw ond yr oedd wedi synnu a rhyfeddu pan glywodd am y record.

'Mi fydd raid i mi redeg dros yr ysgol rŵan, yn y Chwaraeon Rhanbarth, medda Sbeic.'

'Wel, da iawn. 'Roedd hi'n bryd iddyn nhw ffendio rwbath medrat ti'i 'neud, 'blaw breuddwydio!'

Methodd Tecwyn ddal dim mwy ac aeth at ei fam a swatio'i wyneb yn ei hysgwydd gynnes. Gafaelodd hithau'n dynn amdano, ond gan dynnu ei goes yn ysgafn yr un pryd. 'Tw! Hen fabi mam wyt ti.'

'Ia, Mam. Hen fabi—blydi hen fabi!'

'Yli, wedi blino 'rwyt ti rŵan. Mi deimli di fel y boi toc. Tyd i gael dy fwyd. 'Rydw i wedi gwneud crempog i ti.'

'Na, 'dw i am fynd i'r bath gynta.'

'Wel paid â bod yn hir, 'ta, a tendia gysgu yno!'

Rhedodd Tecs i fyny'r grisiau a chanfod o'r diwedd ffau gynnes gudd. Ddôi neb i darfu arno yma, ac ymlaciodd yn llwyr yn y dŵr cynnes.

Dim ond fo a'i feddyliau a'i gorff blin yn cael ymddatod, gymal wrth gymal. Wedi gorwedd yn llipa yn y dŵr am sbel teimlai'n well o lawer a phrysurodd i'w sychu ei hun, gwisgo, a mynd i lawr am ei fwyd.

'Roedd blas arbennig o dda ar bob cegaid, a'i fam yn sefyll yn edmygus yn ei wylio'n sglaffio.

'Pam na wnewch chi fyta efo fi!'

'Mi gym'ra i baned, ond well i mi aros yn gwmpeini i dy dad.'

'Chi 'ta fi 'neith ddweud wrtho fo?'

'Wel, chdi siŵr, er mi fydd yn dipyn o gamp i mi gau 'ngheg a dal wyneb. Liciwn i fynd rownd i oganu wrth bawb.'

'Peidiwch â bod yn wirion. Gewch chi ddeud wrth Enid, ond neb arall, cofiwch.'

'Wel, ol-reit. Mi ffonia i hi rŵan tra byddi di'n byta.'

Pan ddaeth ei dad o'r gwaith yr oedd yntau wedi ei blesio y tu hwnt, ac eisiau clywed pob manylyn am bob dim ddigwyddodd trwy'r dydd. Ar ôl cael ei fodloni ei fod wedi cael yr hanes i gyd eisteddodd efo'i bapur newydd, a gwên foddhaus ar ei wyneb.

'A chdi ydi Super-man 'rŵan, felly? Paid ti â mynd yn ormod o jarff.'

Chwarddodd Tecs, ac meddai, ''Beryg yn byd!'

Pennod 8

'Roedd mynd i'r ysgol y dyddiau yma yn gwbl wahanol!
Gallai Tecs gerdded ar hyd y coridorau yn dalsyth heb
ofni cael ei wthio na'i bwnio'n llechwraidd. 'Roedd y
gwatwar a'r gwawdio i gyd wedi peidio.

Peth fel hyn felly oedd bod yr un fath â phawb arall,
peidio â bod yn od!

Y drwg oedd, os oeddech chi'n od, 'roedd pobl eraill
siŵr bownd o'ch gwneud chi'n odiach!

Amser egwyl 'roedd yn un o'r criw a châi ei gynnwys
yn gwbl rydd ym mhob sgwrs. Deuai rhai bach o'r
flwyddyn gyntaf ato o hyd ac o hyd, yn dal i fwydro am
y rasys. Bob amser cinio byddai'n mynd i'r cae ac yn
ymarfer, neu'n cicio pêl.

Heb yn wybod iddo 'roedd wedi casglu criw o ferched
o'i gwmpas ac wedi dechrau sgwrsio'n gwbl naturiol efo
nhw, heb gochi na theimlo'n chwithig. 'Roedd o'n deim-
lad braf, fel bod yn y gegin adra, a hithau'n gynnes braf,
yn gwrando ar ei fam ac Enid yn rhoi'r byd yn ei le.
'Roedd yn mwynhau sgwrs merched, 'roedd yn fwy
amrywiol rywsut.

'Roedd un o'r merched yn ei atgoffa yn rhyfedd o Enid.
Nid ei golwg—gwallt brown cyffredin oedd gan Enid—
ond 'roedd gwawr goch yng ngwallt Elin, brychni
direidus yr olwg yn bupur ar bont ei thrwyn, llygaid
gwyrdd-frown, a gwên fawr braf. Ambell dro methai
Tecs yn glir â thynnu ei olwg oddi ar Elin. Yn y drydedd
flwyddyn yr oedd hi ond fel llawer o'r genod, yn swnio'n
hŷn ac yn gallach. Ond 'doedd hi ddim yn sych nac yn
sidêt, ddim ond wedi tyfu i fyny rywsut. Llynedd y daeth-

ai hi i'r ysgol, o Glwyd yn rhywle. Roedd ei hanesion bach a'i ffordd o ddweud pethau yn ddigon o ryfeddod i Tecs, oedd yn prysur wirioni, ac wrth wirioni ar Elin fe'i cafodd ei hun yn syllu llawer llai ar Miss Evans, a Gill Norris, er ei fod yn hoff iawn o'r ddwy o hyd. 'Roedd Elin yn nes i'w fyd. 'Roedd hithau'n dda iawn mewn chwarae-on ac yn brysur fel yntau yn paratoi ar gyfer y Chwaraeon Rhanbarthol.

Dechreuodd Tecs chwilio am Elin ar ddiwedd y dydd er mwyn cael cydgerdded efo hi o'r ysgol. Âi dipyn allan o'i ffordd weithiau er mwyn cael cydgerdded yr holl ffordd adref gyda hi; dro arall arhosent am hydoedd ar y groeslon wrth y siop papur newydd, yn paldaruo am ddim byd yn neilltuol ond yn amharod i dorri ar y sgwrs a gwahanu. Nos Wener fyddai waethaf, gan na welai o Elin tan fore Llun wedyn.

Un nos Wener, mentrodd.

'Fyddi di'n rhedeg fory?'

'Bydda. Fyddi di?'

'Bydda dipyn. Lle fyddi di'n mynd?'

''Nunlle'n arbennig. Rhedeg ar y ffordd weithia. Y Sadwrn o'r blaen mi es i fyny i'r ysgol a rhedeg rownd y cae.'

'I fyny'r Foel fydda i'n mynd.'

'Braf.'

'Tyd efo fi fory.'

'Wir? Ti'n siŵr?'

'Ydw. Wir yr. Mi fydda'n braf cael cwmpeini . . .'

'Grêt! Mi fedran amseru'n gilydd!'

'Gallan. Iawn 'ta, wela i di!'

'Ddo i draw heibio pen lôn chi tua chwarter i ddeg.

Gawn ni amser i gerdded i fyny dow-dow, a rhedeg tan ginio wedyn.'

'Iawn 'ta. Wela i di! Hwyl rŵan!'

'Hwyl! . . . wela i di . . .!'

Gwenai Tecs o glust i glust a sylwodd fod Elin yn binc i gyd ac yn ddigon siriol hefyd.

'Roedd hi o ddifrif yn falch o'i gwmni! Dechreuodd Tecs hymian dan ei wynt wrth bydru am adref nerth ei draed.

Bore Sadwrn ddaeth a bu'r ddau wrthi ar y Foel drwy'r bore, yn cydredeg, rhedeg bob yn ail, ac yn amseru'r naill a'r llall. 'Roedd ymarfer hyd y llethrau'n waith caled ac 'roedd yn rhaid iddynt wylio rhag baglu ar dwmpath grug neu syrthio i dwll cuddiedig a brifo cyn diwrnod y Chwaraeon Rhanbarthol. Erbyn hanner dydd 'roedd y ddau wedi diffygio a bron â llwgu. Er ei syndod, gwahoddodd Elin Tecs am ginio i'w chartref.

'Na, well i mi beidio—mi fydd Mam wedi cadw peth i mi.'

'Sadwrn nesa 'ta, cofia. Mi ddaru Mam fy siarsio i dy wadd di.'

'Do?'

'Pam? Wyt ti'n synnu?'

'Wyddai dy fam efo pwy 'roeddat ti bore 'ma felly?'

'Siŵr iawn! Chawn i ddim dŵad oni bai 'i bod hi'n gw'bod! Beth bynnag—fydda i ddim yn deud celwydd adra'—fyddi di?'

'Ym—na. Na. Dim *celwydd.* Deud dim fydda i.'

'Ti'n rêl hen fabi weithia!' tynnodd hi'i goes.

'Ydw, wn i.'

'Roedd hi wedi crafu braidd yn agos at yr asgwrn, ond

teimlai Tecs ei fod wedi closio at Elin ar ôl siarad fel hyn efo hi.

'Ga i afael yn dy law di?'

'Na chei!' heriodd hithau a chymryd arni gilio oddi wrtho. Chwarddodd y ddau a phrysuro i lawr y ffordd o'r Foel, law yn llaw; yn ddistaw, fodlon, gytûn.

Dyna fel y buont am dri Sadwrn a Tecs erbyn hyn wedi dweud wrth ei fam i ble'r âi a chyda phwy, a chaent ginio bob yn ail Sadwrn yng nghartrefi ei gilydd. Methai Tecs goelio'r newid ynddo'i hun ac yr oedd ei rieni wedi synnu a rhyfeddu wrth weld yr hyder a'r asbri newydd.

Ar ddydd Gwener y trydydd ar ddeg y cynhelid y Chwaraeon Rhanbarth ac i Elin, hen ddiwrnod gwael, yn union fel yr ofergoel, a fu. A hithau'n gwibio ar y blaen yn ei ras gyntaf, y 400 metr, i lawr â hi'n afrosgo, ac wrth geisio'i harbed ei hun, brifodd yn waeth a bu'n rhaid iddi fodloni i hercian o gwmpas yn gloff am weddill y dydd. Oherwydd y boen yn ei ffêr a'r siom, teimlai'n oer ac yn ddiflas a gwnâi hyn i Tecwyn deimlo'n annifyr hefyd. Ni wyddai sut i'w chysuro ac am ysbaid daeth ton o'r hen swildod drosto nes methai ddweud na gwneud dim. Ond unwaith y daeth yn amser iddo redeg, dadebrodd a chanolbwyntio'i holl fryd a chrynhoi ei holl egni i wneud ei orau.

Erbyn yr 800 metr gwyddai Tecwyn fod ganddo siawns i ddal ei dir a chofiai am y wefr a deimlodd wrth redeg yn yr ysgol. Dim ond iddo anghofio am bopeth, dim ond canolbwyntio ar sythu ei gorff, byddai yn iawn. Clywodd y corn yn eu galw i'r man cychwyn, a gadawodd Elin yn gwarchod ei bethau yn llygad yr haul a golwg welw arni er ei bod yn gwenu'n ddewr. Gan nad oedd Tecs erioed wedi cael cynrychioli ei ysgol o'r blaen, nid oedd yn adnabod neb o'r rhedwyr eraill. Sylwodd fod un neu ddau yn llai nag o o ran taldra, ond 'roedd yna fachgen llydan tywyll yn gwisgo crys coch ac enw 'Ysgol Bryn-ddôl' yn ymestyn yn falch ar draws ei frest. Daeth bachgen clên yr olwg a chanddo wallt fflamgoch at Tecs.

'S'mai?'

'S'mai? Pa ysgol wyt ti?'

'Caer-fryn. Ti 'di rhedeg o'r blaen?'

'Ddim ond yn 'rysgol. 'Nês i ddim dechra tan 'leni.'

'Iesgob, naddo? Ac mi ddoist ti drwodd?'

'Do, rywsut. 'Sgin i fawr o siawns 'rŵan, cofia.'

'Be wyddost ti? Beth bynnag, pob lwc—wela i di wedyn.'

'Iawn. Ia—lwc dda i chditha.'

Synnodd Tecs eto ei fod wedi medru sgwrsio'n hollol naturiol efo'r bachgen. Biti na fuasai wedi cysidro i holi ei enw, hefyd, ond ta waeth, mi gâi gyfle eto. 'Roedd hi'n amser 'rŵan.

'Roedd hon yn ras galed, dipyn caletach na'r rhai yn yr ysgol a diolchai ei fod wedi ymarfer cymaint ac wedi cryfhau ei gyhyrau yn gweithio ym Mhen-y-bryn. 'Roedd yn mynd yn dda ac wedi llwyddo i basio dau ond 'roedd y bachgen gwallt coch o Ysgol Caer-fryn yn feistr corn arno! Fel y dynesai Tecwyn, pellhâi yntau, ac felly y buont, y ddau'n cystadlu nerth eu coesau. Ond y cochyn a orfu! O drwch blewyn! Lathen tu ôl iddo ac wedi ymlâdd, cyrhaeddodd Tecs y tâp, a'r trydydd gryn bellter tu ôl iddo yntau.

Teimlai'n siomedig iddo gael ei drechu ond yr oedd dod yn ail ar yr ymgais gyntaf yn dipyn o gamp hefyd, cysurodd ei hun, gan ymladd am ei wynt.

Herciodd Elin ato, yn wên o glust i glust, a Sbeic, wrth ei fodd yn brolio 'un o'n hogia ni'. 'Ardderchog, Tecs! Paid â mynd yn bell rhag ofn bod 'na dystysgrif i ti.'

'Iawn, syr,' ac aeth Tecs efo Elin i eistedd a gorffwys, ar ôl gwisgo a lapio'i gyhyrau tyn yn gynnes.

'Ew! wnes i ddim meddwl baswn i yn y pump cynta heb sôn am ddod yn ail!'

''Roeddat ti'n rhedeg yn wych! 'Rôn i'n falch 'mod i'n dy nabod di!' Ac yn hollol naturiol trodd Elin ato, gafael amdano a rhoi clamp o gusan iddo!

Bu bron iddo gael ffit! Hyn, ar ben ei lwyddiant! Aeth ias o rywbeth rhyfedd drwyddo i gyd a methai wybod beth i'w ddweud. Ond nid oedd angen iddo boeni. 'Roedd Elin yn hapus braf ac yn parablu fel petai dim wedi digwydd.

Syllodd Tecs arni mewn rhyfeddod. Peth rhyfedd a gogoneddus ydi hogan! meddyliodd.

Y funud honno edrychai Tecs yn annwyl iawn, ei gudyn golau yn mynnu llithro dros ei dalcen a'i lygaid mawr yn dawnsio o lawenydd.

Pennod 9

'Roedd yn rhyfedd ar ôl i bob dim ddarfod. Dim ras fawr eto eleni. Dim angen ymarfer yn galed, dim ond rhedeg o ran pleser ac i gadw'n ystwyth. Dim Elin! 'Roedd hi'n dal i nyrsio'i throed ac wedi cael helynt poenus. 'Roedd wedi ei ffonio deirgwaith.

Ailddechreuodd Tecwyn fynd i Ben-y-bryn gyda'r nosau. 'Roedd y croeso yno'n gynnes ac yn glên fel arfer, a'r cŵn a'r cathod yn neidio a rhwbio i ddangos eu llawenydd fod yr hen drefn wedi ei hadfer.

Yr un hen drefn, hwyrach, ond nid yr un un oedd Tecs. Cwpl canol-oed oedd ym Mhen-y-bryn ond yn ddi-blant. Dyna pam y câi Tecs gymaint o groeso. Ni châi dâl rheolaidd ond bob hyn a hyn, ond ar ôl iddo gynnig rhyw help go arbennig byddent yn mynnu ei fod yn derbyn swm da o arian. Gan na wariai Tecs ryw lawer, 'roedd y drefn yma yn ei siwtio yn iawn. Cael bod yno oedd y peth mawr. Ond erbyn hyn, teimlai ryw chwithdod ym Mhen-y-bryn. Teimlai fwy o eisiau cwmni rhai o'i oedran ei hun. Collai gwmni Elin. 'Roedd yn dal i hel meddyliau a breuddwydio ond teimlai ryw hyder a llawenydd newydd. Edrychai'n wahanol, 'roedd y wên i'w gweld yn amlach na'r cilwg ac yr oedd yn llawer parotach ei sgwrs. Mentrai alw 'S'ma'i' hyd yn oed ar Hyw Êl a'r criw ac ymddangosent hwythau'n ddigon parod i adael iddo heb ei herian.

Un noson 'roedd Tecs wedi bod ym Mhen-y-bryn ers yn syth ar ôl ei de ac wedi bod wrthi'n oelio'r peiriannau ac yn hogi cryman. Wedyn bu'n tacluso ychydig ar y gwrych wrth giât y lôn a theimlai'n bur falch ei fod wedi gwneud joban daclus ohoni.

'Doedd dim arall yn galw, felly ar ôl paned, cychwynnodd linc-di-lonc am adref, a phenderfynu torri ar draws y Foel heibio i furddun yr hen feudy yn hytrach na dilyn y lôn i lawr at y bont. Fel y dynesai at yr hen feudy tybiai ei fod yn clywed lleisiau ac arhosodd i wrando. Oedd, 'roedd yna sŵn chwerthin, a gwelodd arlliw o fwg yn cyrlio o agen lle'r arferai'r ffenestr fod. 'Roedd rhywrai yno, ac yn amlwg yn cael hwyl. Fel y dynesai ato, gallai arogli'r mwg ac fel yr oedodd, rhwng dau feddwl pa un ai mynd heibio'n ddistaw sydyn a wnâi ai troi yn ei ôl a chymryd rownd o bell, gwelodd ben yn codi o'r brwgaits o amgylch y murddun.

Hyw Êl!

Wel! 'doedd dim amdani ond mynd yn ei flaen felly.

'S'ma'i,' cyfarchodd Tecs.

'S'ma'i. Hei! lads! Sbiwch pwy sy 'ma,' gwaeddodd Hyw Êl.

Daliodd Tecs i gerdded yn ei flaen, heb fwriadu gwneud mwy nag oedi am funud.

Daeth pedwar neu bump o grymffastiau allan o'r hen feudy wrth glywed Hywel Elis yn galw. Mêts Hyw Êl oeddynt i gyd ond am un a edrychai'n hŷn na'r gweddill, un rhyfedd yr olwg a'i wallt yn sbeics tri-lliw yn syth i fyny. Gwisgai jîns a'i ffitiai fel ei groen a chrys chwys a'r llewys wedi eu torri i ffwrdd yn y ceseiliau. Cordeddai tatŵs anghynnes yr olwg gylch ogylch ei ddwy fraich a cherddai fel epa a'i freichiau'n hongian hyd ei bennau gliniau.

Hen bync, meddai Tecs wrtho'i hun. Crair wedi ei adael ar ôl; broc ar ôl llanw . . .

Chafodd o ddim cyfle i feddwl mwy.

'Hai, lad!'

'Hai.'

'Wanna join in, la'?'

'Na, ma'n iawn. Ar 'y ffordd adra 'rôn i.'

'O, ty' 'laen Tecs—ran sbort, was!' ategodd Hyw Êl. 'Iesu! ti'n haeddu rwbath ar ôl be wnest ti, wa'!'

Chwarddodd Tecwyn. Rhyw chwerthiniad bach di-lawenydd, digon ofnus. Teimlai'r hen ofn a swildod yn lapio amdano a gobeithiai nad oedd y lleill yn gallu dirnad ei deimladau. Ond siŵr iawn eu bod! On'd oedd ei wyneb fel ffenest yn dangos popeth a ddigwyddai oddi mewn?

Waeth iddo smalio ei fod yn mwynhau ei hun ddim, fe gâi fwy o lonydd felly!

'Iawn 'ta—arhosa i am 'chydig, Hyw.'

'Iê, grêt!'

Banllefau swnllyd wedyn, fel petai wedi cynnig rhyw-beth mawr iddynt. Dilynodd Tecs Hyw Êl i mewn i'r hen feudy a chael eu bod wedi clirio'r lle a'i wneud yn weddol ddiddos, efo rhecsyn o garped ar y llawr yn y gornel bellaf, hen fatres ddigon budr, a hen gadair a honno ar fin arllwys ei pherfedd. Wrth ei weld yn llygadu trodd y mawr lliwgar ato, a siarad yn Gymraeg y tro yma:

'Be ti'n feddwl o 'nghartra bach i?'

'Iawn.'

Chwarddodd y cwbl eto—chwerthin nes eu bod yn rowlio.

Methai Tecs ddirnad beth oedd mor ddigri a theimlai'n anghysurus dros ben.

'Dw i'n byw 'ma, la',' hanner bytheiriodd ar Tecs.

'Iawn', atebodd Tecs eto, a bu bron iddo ychwanegu, 'Waeth gin i.'

'Yli, Tecs,' meddai Hyw Êl, yn llanc i gyd. 'Paid â gwylltio Mel. Mel yn ffyrnig, yli—ddim yn lecio cael 'i groesi, nac wyt Mel?'

'Ddim uffar o beryg,' ysgyrnygodd hwnnw a gwneud osgo, fel dihiryn mewn ffilm!

Pe bai Tecs yn ei wylio o bell byddai'n ei weld yn ddigrif ac yn druenus yr un pryd; yn agos ato yr oedd yn ddigon i godi arswyd ar greadur dof.

'Mêc ddy lad welcym!' meddai'r lliwiog wedyn.

'Iawn, Mel, os ti'n deud.' A rhuthrodd y lleill i agor rhyw gist fudr nad oedd Tecs wedi sylwi arni ar y cychwyn. 'Roedd ynddi boteli o bob math: pop diniwed, Cola, seidr, gwirod a chaniau cwrw.

'Roedd yno fisgedi hefyd a chreision, a phob math o bapurach, ac ambell becyn wedi ei lapio'n daclusach na'i gilydd. Ar ôl gosod y petheuach i gyd ar lawr aeth Hyw Êl at y wal bellaf a thynnu carreg o'r mur wrth yr hen resel.

Edrychodd yn arwyddocaol ar weddill y criw am eiliad ac yna ar Mel. Nodiodd hwnnw arno.

O'r twll oedd yn we pry' copyn drosto, tynnodd ganiau o hylifau, pethau cyffredin ddigon mewn unrhyw siop neu gartref, a gwelodd Tecs boteli hylif glanhau, polish ewinedd a hylif taniwr sigarennau.

Toddyddion, meddai ei ymennydd, ond yr oedd bellach wedi ei lygad-dynnu a'i fferru yn yr unfan. 'Roedd yn chwilfrydig rŵan. 'Roedd arno eisiau gweld y gweddill!

'Ti'n cael braint, Tecwyn!' meddai'r un a alwent yn

Mel. ''Tydi pob cwb bach ddim yn ca'l gwadd i'n partïon ni.'

Corws mawr swnllyd o: 'O, na -a -a,' wedyn.

Methodd Tecs ddweud dim, er y dywedai lawer iawn wrtho'i hun, tu mewn i'w ben!

Fe'i cafodd ei hun yn cydio mewn cwpan blastig a chymysgedd o Cola, pop a seidr ynddi. Nid oedd yn ffansïo'i yfed, ond byddai rhaid iddo gymryd arno, ac anghofio am y darnau bach o lwch a nofiai ar yr wyneb.

Gwneud iddo bara'n hir fyddai orau, meddyliodd, a sylwodd beth âi i'r cwpanau eraill. Aeth pawb i glertian ar y fatres ac ar y rhecsyn carped; plygodd un ei gôt a'i gosod yn glustog ar sypyn o hen wellt wedi breuo oedd yng ngweddillion y preseb. Gosododd Mel ei hun fel brenin ar ei orsedd ar yr hen gadair, a thybiodd Tecs mai gwell fyddai iddo yntau eistedd, a gosododd ei siwmper oddi tano ar gornel arall y preseb.

Taniodd y criw a chododd cymylau o fwg rhad drewllyd nes gwneud i lygaid Tecs ddyfrio. Gwasgodd arno'i hun rhag pesychu a thynnu sylw ato'i hun. Hwyrach yr anghofient amdano cyn bo hir ac y câi ddiolch am y 'croeso' a'i gwadnu hi nerth ei draed oddi yno.

Dim peryg yn y byd!

'Tria hwn, Tecs! Well na be gest ti tro blaen!'

'Dal y gwpan i fyny, 'r llo, lle 'mod i'n 'i slempian o i bob man.'

'Hei! piso *gin* ar wely Mel!' gwaeddodd un o'r silod bach oedd wedi magu hyder benthyg a dod o hyd i'w dafod.

Chwerthin a chwerthin wedyn. Cawodydd o sŵn a Tecs yn teimlo fel un wedi ei ddal mewn cawod genllysg, yn cael ei b'ledu gan y sŵn.

'Doedd dim amdani ond yfed y gymysgedd ryfedd yn ei gwpan, ac wedi iddo ddrachtio ychydig, tybiai fod yr hen feudy yn edrych yn gysurus bron.

'Doedd ei ddwylo ddim yn chwysu ddim mwy.

'Hei, chdi ydi'r rhedwr, ia?' Mel oedd yn ei holi, wedi codi oddi ar ei 'orsedd' ac yn sefyll gam-ar-led o flaen Tecs.

'Ia.'

'Hei—genod! Perfformer! Ia, la', ti'n dipyn o ber-fformer.'

'Roedd golwg mor wirion arno, yn ei siglo'i hun, fel y chwarddodd Tecs i ganlyn y lleill.

'Pishyn! 'Twyt Tecs—ti'n bishyn.'

Trish benfelen o'r Tai Isa', yn swatio'i hun wrth ei ochr.

Gallai weld ei bronnau wrth iddi blygu ymlaen a gwelai groen ei hwyneb wedi ei blastro â cholur rhad. Fel fflach, ar draws ei ddychymyg, gwelodd Elin; mor wahanol!

Ble'r oedd hi rŵan, tybed? Ac eto, genod oedd y ddwy! 'Roedd rhywbeth yn braf mewn teimlo Trish yn symud yn ei erbyn a'i gwallt yn cosi ei wyneb weithiau wrth iddi symud.

Yfodd weddill ei ddiod, ond cyn pen chwinciad 'roedd ei gwpan yn llawn eto.

'Be 'di o?' gofynnodd i Trish.

'Be 'di be? Hwnna?'

'Ia.'

'Mics.'

'Hy!' A chwarddodd. 'Roedd rhywbeth yn ddiddorol mewn bod yma efo'r rhain, fel bod mewn stori. Câi eu gweld trwy'u pethau a chlywed eu jôcs mochynnaidd, er bod ambell un yn ddigri. Mwynhâi sylwi ar eu harferion, a sylwi ar y genod. 'Doedd y rhain ddim fel Elin, yn edrych yn lân ac yn iach ac yn siarad yn naturiol. 'Roedd y tair oedd yma wedi eu peintio fel doliau, yn arogli o bell o bersawr rhad a mwg sigaréts ac yn ymddwyn fel rhai'n actio. 'Roeddynt yn tynnu ar y bechgyn ac ni wnaent unrhyw ymdrech i drafod eu cyrff yn wylaidd.

Dechreuodd Hyw Êl gusanu un ohonynt a rhannu'r cwdyn plastig i arogli. Clertiai'r ddau ar ei gilydd gan chwerthin a charu, ac anadlu o'r cwdyn bob yn ail.

Teimlodd Tecs law ar ei ben-glin a gwelodd Trish yn ei wylio fo yn gwylio'r lleill. Rhoddodd ei fraich amdani, rhag ymddangos fel pren. 'Roedd hynny fel pwyso botwm signal. Ymgordeddodd y ferch amdano a'i gusanu a'i fyseddu fel un hen gyfarwydd.

Arswydodd a chynhyrfodd Tecs 'run pryd; 'roedd ei ben yn troi a'i aelodau'n wan.

Be oedd rhywun i fod i'w wneud? Cododd yn sydyn a cheisio ymryddhau. Fel pac o helgwn taflodd y lleill eu hunain arno a'i daflu ar lawr.

'Diawl bach! Trish ddim digon da i ti, ia?'

Teimlodd gic egr yn ei asen ac un arall yn ei geilliau nes aeth procer poeth o boen trwyddo.

'Tynnwch 'i ddillad o, hogia!'

Dwylo ym mhobman a rhwygo a thynnu! Chwerthin a rhegi, ac aroglau hen fudreddi yn codi i'w ffroenau oddi ar lawr y beudy.

Gafaelodd Mel a Hyw Êl ynddo a'i lusgo ar ei draed, yn noeth ond am ei sanau. Codasant ei freichiau'n uchel a gweiddi:

'Dyma fo! Blydi ffowlyn! Ti isio fo rŵan, Trish?'

Rhagor o'r chwerthin gwirion, cwrs, a stumog a phen Tecs yn corddi.

'Roedd y boen a'r cywilydd a'r meddwdod yn un trybestod o deimlad a niwl o flaen ei lygaid.

'Rhw'mwch o, hogia!'

'Ia, clymwch o!'

'Clymwch y diawl neis wrth yr aerwy.'

Llusgasant Tecs at y preseb yn afrosgo a brwnt a'i glymu wrth yr aerwy gerfydd ei wddf ac un fraich.

Dechreuodd rhai wneud sŵn brefu:

'Mw . . . w . . . w.'

Rhagor o rafio a chwerthin wedyn.

'Gofyn tarw mae o!' gwaeddodd un, nes oedd y lleill yn rowlio. Ceisiodd Tecs godi ar ei bengliniau a chuddio'i noethni ag un llaw, ond llithrodd, nes oedd yn hanner hongian yn unochrog. 'Roedd pwys mawr arno a theimlodd y cyfog yn ei wddf.

'Tendiwch, mae o'n chwydu,' gwaeddodd Hyw Êl, ac am funud cafodd Tecwyn fymryn o lonydd.

'Llo bach isio llith!'

'Llo bach isio'i fam!'

'Blydi llo *ydi* o!'

Deuai'r lleisiau fel o bell a chrynai Tecs. 'Roedd wedi bod yn ffŵl! *'Roedd* o'n llo!

'Rhowch rywbath iddo fo, i gofio!'

Llais Mel, yn awdurdodol ac un o'r merched yn holi.

'Ia! Ti'n siŵr?'

'Blydi siŵr, ond byddwch yn ofalus.'

Teimlodd Tecs rai'n ymaflyd yn ei fraich a brath pigiad. Teimlodd ei stumog yn codi, ond ni ddaeth y cyfog. Dim ond niwl. Gallai glywed ei galon yn pwmpio yn ei glustiau.

Suddodd yn un sypyn truenus, hunllefus. Allai dim fod

yn waeth na hyn. 'Roedd yn oer fel corff, ac yn unig, unig.

*   *   *

O bell clywodd ryw gyffro.

'Dowch, lats, heglwch hi! Cliriwch o 'ma. Ma' 'na rywun yn dŵad.'

'Damia! Be wnawn ni efo hwn?'

'Gadwch o lle mae o! Heglwch hi!'

Clywodd Tecs sŵn straffaglio a chadw'r trugareddau ond ni fentrodd agor ei lygaid. Hwyrach, pe medrai gau ei lygaid yn ddigon hir, yr âi'r hunllef i ffwrdd.

Pennod 10

Gill Norris a'i mam, wedi bod am dro ar y Foel, welodd y criw gwyllt hanner meddw yn ei heglu hi o'r hen feudy, a chael rhyw deimlad bod drwg yn y caws. 'Roeddynt wedi cerdded heibio droeon o'r blaen ac wedi sylwi bod yna olion o gwmpas y lle yn ddiweddar, ond heb weld neb tan heno.

Erbyn hyn 'roedd yn llwyd-dywyll ac wrth iddynt sefyll o flaen y ffenest gul i geisio edrych i mewn, 'roeddynt yn tywyllu'r tu mewn nes ei gwneud yn amhosib gweld dim.

Digwyddodd Tecs symud a gwnaeth yr aerwy sŵn, yn union fel petai anifail yn sownd wrtho! Trodd Gill i edrych ar ei mam. Agorodd hithau ei llygaid yn fawr a chydag amnaid arni i fod yn dawel, aeth at y drws. Cam-odd yn ei hôl mewn braw pan welodd y sypyn noeth ynghlwm wrth yr aerwy ac yn amlwg yn ddifrifol o dan ddylanwad rhywbeth.

'O, Mam! Be 'di'r gora' i 'neud?'

'9 9 9,' oedd yr ateb swta. Heb holi rhagor rhedodd Gill yn ei hôl ar hyd y llwybr a'i gwneud hi nerth ei thraed i lawr at y pentref. Fe ddeuai yn ei hôl yn y car. Gobeithio y byddai ei mam yn iawn, nad oedd yna ddihirod yn llercian cuddio yn unman.

Yn y cyfamser aethai Mrs Norris yn dyner at Tecwyn. Cafodd fraw pan sylweddolodd pwy ydoedd ond prysur-odd i'w gael yn rhydd o'r aerwy. Agorodd ei lygaid a gwelodd hithau'r cywilydd ar ei wyneb wrth iddo ei had-nabod. Ceisiai Tecs siarad bob yn ail ag ochneidio, ond methai hi ddeall dim a ddywedai. Tynnodd ei siwmper ei hun a'i gwisgo orau y gallai am y bachgen, yna gafaelodd amdano'n dynn yn ei breichiau cryfion, yn union fel y byddai ei fam ei hun wedi gwneud. Teimlodd y dagrau poethion yn rowlio i lawr ei thrwyn ac yn disgyn ar y pen melyn golau oedd mor ddiymadferth yn ei hafflau.

Wylai am ei ddiniweidrwydd! Wylai yn ei gwylltineb a'i hatgasedd at y rhai a wnaethai hyn iddo.

Y creadur annwyl, diniwed!

Yno yr oedd hi'n siglo Tecs yn ei breichiau pan ddychwelodd Gill yn y car. Adfeddiannodd ei mam ei hun a pheri iddi ddod â'r blanced o gist y car, a gwneud lle i Tecs ar y sedd ôl.

Erbyn hyn yr oedd Tecwyn wedi dechrau ubain crio heb lywodraeth. Sylwodd Gill ar yr ôl dagrau ar wyneb ei mam, a theimlodd yn agos, agos ati.

Dychrynodd drwyddi pan welodd pwy oedd y bachgen.

'Na byth! Nid Tecwyn! O Mam, am ofnadwy!'

Daeth y plismyn a'r dyn ambiwlans, ond cytunodd hwnnw ar ôl archwilio Tecs, mai'r peth doethaf fyddai iddo gael ei hebrwng i'w gartref yng nghar Mrs Norris, rhag dychryn ei rieni, a chan nad oedd ei gyflwr yn ddigon drwg i fynd ag o i'r ysbyty. Holodd un o'r plismyn Gill tra bu'r dyn ambiwlans a'i mam yn hel carpiau dillad Tecs at ei gilydd a'u rhoi mewn planced. 'Roedd Gill wedi adnabod y rhan fwyaf o'r criw wrth iddynt redeg o'r murddun. Yr unig un gwahanol a chwbl ddieithr iddi oedd y creadur lliwgar.

'Fel pync?' holodd y plismon.

'Ie—ond yn edrych yn hŷn na'r lleill—yn hŷn na fi—tua dau ddeg o leiaf,' atebodd Gill.

'O, hwnnw maen nhw'n alw'n Mel. Mae ganddo fo

record hir o dorcyfraith a medliach efo cyffuria ac ati. Sut un ydi *hwn*? Ydach chi'n 'i nabod o?'

'Yn iawn. Hogyn neis, diniwed hollol. Rhedwr da.'

'Creadur bach!'

Rhoddodd y plismon ei helmed yn ôl am ei ben cyn troi i archwilio'r llanast a adawodd y criw ar eu holau yn eu brys i hel eu traed.

Synhwyrodd Gill nad oedd drama fel hon yn newydd o bell ffordd i'r heddwas. Teimlodd yn drist ac yn hen, llawer hŷn na'i deunaw cwta.

Teimlai Gill yn gyfrifol rywfodd am Tecwyn. Gwyddai mor ofnadwy o swil yr oedd ar y dechrau, a chawsai hi'r fraint o'i weld yn datblygu ac yn magu hyder yn sgîl y rhedeg. A dyna'r cwbl wedi ei ddifetha, hwyrach!

Cenhedlaeth ofnadwy ydi'n cenhedlaeth ni, meddyliodd, nid am y tro cyntaf. 'Roedd hi'n llawer haws bod yn ifanc ers talwm. 'Roedd ei mam wedi dweud hynny droeon.

Trodd yn swta a mynd at y car.

*   *   *

Wedi ei gyrlio ei hun yn belen, fel baban yn y groth, swatiai Tecwyn yng nghlydwch ei wely ei hun. Daethai allan o'i hunllefau, allan o'r goedwig a theimlai erbyn hyn yn wag a diymadferth. Ac eto yr oedd yn ymwybodol o ryw lonyddwch mawr, fel gosteg ar ôl storm.

'Roedd wedi ei ddeffro i deimladau ac i ddealltwriaeth y buasai'n well ganddo fod hebddynt. 'Roedd ganddo syniad o ystyr y gair *'orgy'* bellach. Bu'n crio a chrio nes na ddeuai dagrau mwy. Criodd ei fam hefyd; eistedd wrth ochr ei wely yn gafael yn ei law, ac yn wylo'n ddistaw. Distaw oedd ei dad, ar ôl y ffrwydrad naturiol cyntaf. Bu yntau'n eistedd yn llofft Tecs, yn gwmpeini, a'r cwbl a ddywedodd cyn mynd allan toc oedd ''Y ngwas bach gwirion i.'

Bu Tecwyn yn ymwybodol o lawer o fynd a dod i lawr y grisiau a lleisiau gwahanol i'w clywed. Gwyddai hefyd fod Mrs Norris wedi eistedd yn hir efo'i fam yn cysuro ac yn cynghori. Clywsai eu lleisiau yn grwnian o bell. 'Roedd ar Tecs gywilydd ysol fod Mrs Norris a Gill wedi ei weld yn noethlymun, ac eto 'roedd yn well ganddo mai nhw ddaeth o hyd iddo na llawer.

Neithiwr, daethai Dei o rywle ac eistedd ar ei wely ac 'roedd Gill yno hefyd, yn eistedd yr ochr arall ac yn siarad efo Dei. Clywsai Tecs ei llais yn gynhyrfus dan deimlad, ac yr oedd hyd yn oed wedi rhegi. Profi ei bod hi'n normal, nid yn hanner angyles fel y tybiai o o'r blaen!

Wedi ffieiddio 'roedd hi. Ymfalchïai Tecs yn ei chonsyrn ar ei ran ac eto cywilyddiai yn ofnadwy ei fod yn destun tosturi. Pwy yn 'i sens oedd isio *piti*!

'Hidia befo'r hen ddyn! Mi gaiff y diawlad 'u cosbi ac mi fydd pawb wedi anghofio am y peth mewn dim,' meddai Dei.

Teimlai Tecs yn nes at Dei nac at yr un o'r lleill. Pan fedrai siarad am y peth—*os* medrai siarad am y peth—efo Dei y gwnâi hynny. 'Roedd wedi dod i deimlo'n wahanol am Dei.

Yn y cyfamser dyheai am fynd i guddio, i lyfu'i friwiau. Hoffai ei ddaearu ei hun mewn ffau ddofn, neu gysgu a chysgu, nes byddai pawb wedi llwyr anghofio. Gwasgodd ei lygaid yn dynn a chau ei ddyrnau. 'Roedd yna gymaint o atgasedd tu mewn iddo nes ei ddychryn. Buasai'n hoffi panu Hyw Êl yn gleisiau, yr hen ewach bach slei. Pam na wnâi pawb adael iddo gael llonydd? 'Roeddynt i gyd ofn ei adael ar ei ben ei hun am funud. 'Roedd eu caredig-rwydd yn mynd ar ei nerfau!

Pennod 11

'Tecs . . . Tecwyn, wyt ti'n effro, 'ngwas i?'

'Ydw, Dad, dowch i mewn.'

'Ma' gin i ddynes ifanc yn fan hyn yn holi'n arw amdanat ti.'

Cododd Tecs ar un penelin, mewn penbleth a hanner gobaith. Tynnodd ei law trwy'i wallt yn frysiog.

A hi oedd yna!

'Elin!'

'Tecs!'

Wyddai Tecwyn ddim ble i edrych. Safai ei dad yn y drws yn gwenu'n garedig ond heb fod yn ddigon parod ei dafod i ddweud dim i ystwytho'r tyndra. Methodd Elin ddal a rhuthrodd at Tecs a gafael amdano'n dynn. Daeth lwmp i'w wddf a phigai dagrau yn ei lygaid eto wrth iddo deimlo'i meddalwch glân, cynnes. Cofiai o hyd am ffieidd-dra'r hen feudy. 'Doedd dim posib bod Elin yn mynd i ddeall.

Gwasgodd hi ato a chuddio'i ben ar ei hysgwydd.

'Gadawa i chi am funud,' meddai ei dad, fel petai i'w hatgoffa ei fod yn dal yno. 'Ond ma' isio i ti godi at de, Tecs.'

Edrychodd Tecwyn ar Elin, oedd erbyn hyn wedi eistedd yn wylaidd ar droed y gwely.

'Oes, ma' dy fam a Gill a finna wedi bod yn cynllunio.'

'Cynllunio be?'

'Te gwerth chweil i ti, siŵr.'

''Dw i ddim isio hen ffŷs felly.'

'Paid â rwdlian, da chdi. Dim dy fai di oedd be ddigwyddodd. Mi alla fod wedi digwydd i unrhyw un.'

69

'*Go brin.* Fi sy'n rêl llo.'

'Taw, Tecs. Paid â bod mor galed arnat ti dy hun. Sbia be sy gen i yn y bag 'ma. Mi fu bron iawn i mi anghofio.'

Sodrodd y bag ar y gwely rhyngddynt a thynnodd allan bentwr o amlenni a chardiau, ac un bocs wedi ei lapio mewn papur lliwgar.

'Llythyra, cardia—bob math o 'nialwch. I gyd i ti, Tecwyn Rhys Jones! Gredi di rŵan fod gin ti ffrindia?'

Gosododd Elin y cwbl yn bentwr yn hafflau Tecs. Gafaelodd yn y bocs a'i ysgwyd yn ysgafn.

'Wyddost ti gan bwy ma' hwn?'

'Na wn i.'

'Jenks!'

'Naci 'rioed?'

'Wir i ti—fo a Sbeic, ac ma'r ddau o'u coua dy fod ti wedi cael dy hambygio!'

Rhyw hanner chwarddodd Tecs. Aeth trwy ei bethau yn dawedog ac Elin yn ei wylio'n ofalus. Toc, cymerodd y cwbl oddi arno, hel ei gudyn gwallt oddi ar ei dalcen a rhoi cusan tyner iddo.

'Mi wnes i grio drostat ti!' sibrydodd.

'Do?'

'Mi faswn i'n medru lladd y tacla! Ddeudis i, yn do, mai hen ddihiryn oedd yr Hyw Êl yna!' 'Roedd angerdd yn ei llais.

'Do . . . Biti 'mod i mor ddiniwed 'te, ac wedi creu'r fath helynt. Codi c'wilydd ar bawb.'

'Wnest ti ddim! 'Roeddan ni i gyd wedi dychryn, siŵr iawn, ac wedi gwylltio, ac yn poeni amdanat ti . . .'

'Ydi Pen-y-bryn yn g'wbod?'

'Ydyn. Mi aeth Enid dy chwaer yno i ddeud—rhag ofn iddyn nhw glywed ar hyd y pentra.'

'Be ddeudon nhw?'

''Run fath â phawb call. Wedi gwylltio! 'Roeddan nhw'n anfon llond gwlad o gofion ac isio i ti gofio peidio bod ofn mynd i fyny yno.'

'Dew!'

'Ia. A 'rŵan—'rydw i am fynd i lawr. Coda ditha, reit sydyn. Ma' Enid a'r plant yn dŵad i gael te hefyd, ac mi ddaw Elfed, meddan nhw, ar ôl ei waith.'

'O na, ddim yr hen blant 'na!'

Llithrodd Tecs i lawr yn y gwely a thynnu'r dillad dros ei ben. Chwarddodd Elin. 'Roedd hi wedi clywed am helynt y gwarchod!

'Mi fyddan fel angylion i ti heddiw! Ac mi wna *i* warchod efo chdi y tro nesa!'

*   *   *

Dyna lle'r oedd pawb, yn ddel rownd y bwrdd, a meddwl Tecwyn yn corddi.

'O Dad yn deulu dedwydd.' *Pam ar y ddaear 'rydw i'n meddwl am ras bwyd?*

Tybed 'mod i'n mynd o 'ngho?

'For what we are about to receive' *ydi o yn Saesneg.*

Mae 'na un Lladin hefyd—'Per Iesum Christum r'wbath ne'i gilydd.

Peth rhyfedd ydi meddwl! Pam fod rheina'n mynd trwy 'mhen i 'rŵan? Beryg bod yr hen bethau 'na wedi amharu ar fy mhen i! Arglwydd mawr! Celloedd fy 'mennydd bach i'n darfod fesul un, yn crimpio dan 'y ngwallt i, a finna'n gw'bod dim! Pwll uffarn! Dyna lle bûm i!

71

A sbïa ar y rhein!

Dad, Mam, Elin, yn gwenu'n ddel ac yn disgwl i minnau wneud yr un peth, debyg!

'Tyd, Tecs, 'ngwas i, tyd i fyta.'

Wel, o leia ma' Elin yma, mi allai fod wedi gwrthod dŵad yn agos! Safodd a'i law ar gefn ei gadair.

Twyt ti, Tecwyn Rhys Jones, ddim yn haeddu y tri yma—rêl wimp wyt ti! Be' oedd ar dy ben gwirion di?

'Tecs, tyd. Ma'r tebot yn oeri.'

Trodd Tecs yn sydyn, mor sydyn nes rhoi hergwd i'r gadair. Rhuthrodd allan trwy'r cefn, neidio'r giât bach a rhedeg yn galed, nerth ei draed i lawr y lôn. Wyddai o ddim i ble.

Yn y tŷ 'roedd ei dad wedi gwylltio, ei fam wedi ei brifo a'i siomi ac Elin yn anghyfforddus am eiliad, yn teimlo ei bod hi ar y ffordd. Yna meddai,

'Arhoswch chi yn y tŷ. Mi reda i ar 'i ôl o.'

Ac allan â hi.

'Doedd dim iws galw arno, wnâi hynny ond ei gymell i redeg yn gyflymach. Penderfynodd Elin ei ddilyn o bell ac aros iddo ddofi. Cymerai ambell duth bob yn ail â cherdded.

Pan ddaeth Tecwyn at y bont sobrodd a daeth at ei goed. 'Roedd rhedeg wedi gwneud lles mawr iddo. Suddodd yn swp heglog ar ganllaw'r bont a thoc daeth Elin o hyd iddo yno. Nid oedd Tecs wedi sylweddoli ei bod wedi ei ddilyn bob cam. Hanner gwenodd. 'Roedd gwell tempar arno 'rŵan.

'Wel? Ti 'di rhedeg allan o stêm?' gofynnodd Elin.

Nid atebodd Tecs, dim ond sychu ei dalcen efo cefn ei law. Eisteddodd Elin wrth ei ochr a rhoi ei braich amdano. Gostyngodd Tecs ei ben ar ei hysgwydd, y teimlad brafiaf dan haul, meddyliodd. 'Roedd arogl sebon glân ar ei gwddf a gallai ei theimlo'n anadlu'n drwm ar ôl rhedeg. 'Doedd dim angen siarad.

Toc—'Sori,' meddai Tecs, yn drwsgl.

'Ddim wrtha i ma' isio i ti ddeud hynna!'

'Wn i. Mam druan. 'Rydw i'n casáu hyn i gyd am be mae o wedi'i 'neud iddi hi. Ac mi fasa well gin i tasa Dad wedi rhoi cweir i mi. Ma'r ddau fel taswn i'n sâl, ar farw, yn mynd o gwmpas mor ofalus, ofn i bry chwythu arna i. Ac arna *i* 'r oedd y bai am y cwbl!'

'Paid â malu! Wnest ti ddim mynd i chwilio am gyffuria, yn naddo?'

'Naddo, ond fasa neb call wedi cael ei hudo i'w hen ffau nhw!'

'Tybed? Pam ti'n meddwl bod chdi mor wahanol i bawb? Beryg i ti fynd yn gwbl, gwbl, hunanol, 'sti, yn meddwl am ddim ond dy deimlada hynod di!'

Trodd Tecs i edrych arni mewn syndod. 'Doedd o erioed wedi meddwl am y peth fel yna. Oedd hi'n dechrau blino arno fo, tybed?

'Be ti'n feddwl ohona i—wir?'

'Dwi'n dy lecio di—yn arw! 'Rydw i yn mwynhau bod efo chdi—ond tydw i ddim yn lecio dy glywed di'n deud byth a beunydd mor od wyt ti!'

'Ia, ond 'toeddat ti ddim yn 'rysgol tan 'leni, ti ddim yn fy nghofio i . . . '

Torrodd ar ei draws. 'A be 'di'r ots am hynny? Ella ma' peth da iawn ydi o. Twyt titha ddim yn fy nghofio inna chwaith—yn dew ac yn gwisgo weiran yn fy ngheg.'

'Na! 'Rioed!'

Gwelodd Tecs ddoniolwch y peth a dechreuodd chwerthin dros y lle. Chwarddodd y ddau nes teimlo'n braf. Yn sydyn, fferrodd Elin wrth ei ochr, a siarad trwy ochr ei cheg.

'Paid ag edrych 'rŵan, ond dyma dy gyfle di i ddangos iddyn nhw faint o ddyn wyt ti.'

'Pwy? Be?'

'Gafal amdana i a phaid â chymryd arnat ddim byd, ond mae Hyw Êl a Trish ac un o'r lleill yn dod i lawr y lôn.'

'Damia! Be wna i?'

'Hyn.' A chyn i Tecs gael cyfle i feddwl 'roedd Elin wedi gafael ynddo a'i gusanu, efo tipyn o arddeliad. Clywodd Tecs eu traed yn dynesu, arafu, mynd heibio, a'u sgwrsio yn peidio am ysbaid, yn amlwg wrth iddynt rythu arno ef ac Elin.

'Reit,' meddai Elin, gan ymryddhau, 'gei di agor dy lygaid ac anadlu 'rŵan. Fasa werth i ti weld 'u hen wyneba nhw!'

'Ew, ti'n grêt, Elin.'

'Tydw i hefyd! Paid â gwirioni gormod—cofia am y weiran honno!' A chwarddodd y ddau eto.

''Rŵan 'ta, ddoi di am dy de?'

Cododd Tecs oddi ar y bont, rhoddodd ei fraich yn gyfforddus am wasg Elin a throi am adref.